中公新書 2006

JN262894

苅谷剛彦著

教育と平等

大衆教育社会はいかに生成したか

中央公論新社刊

教育と平等

目次

教育と平等

大衆教育社会はいかに生成したか

プロローグ　平等神話の解読

本書を貫く問題の輪郭《りんかく》を示すにあたり、最初に二つの発言を引用しよう。一つは、いわゆる「ゆとり教育」のスポークスマンといわれた文部官僚（当時）の発言である。

「いままで確かに小学生で三割の子、中学生で五割の子、高校で七割の子が『授業がわからない』と言っている『七五三』の状態があるわけで、二〇〇二年からの新教育課程では、小中学校で教育内容は三割削減されるけれど、わからないで授業に出る、そういう子は一人もいないようにする。つまり中学校卒業時点で、全員が百点というか、きちんと内容を理解できるようにしなければいけないんです」（寺脇・苅谷一九九九、一七頁）

もう一つは、日教組（日本教職員組合）の「講師団」＝ブレーンであった進歩的教育学者を多数含む、教育科学研究会が編集していた雑誌『教育』の一九六二年五月号に掲載された、ある中学教員の文章である。

すべての子が、すくなくともほとんどの子が一〇〇点をとるような力を本来もっているのだし、それを実行しないことは、正しい意味で〝教育〟を行なっているとはいえないと考えるのだ。（平田一九六二、二八頁）

およそ半世紀を隔てて、これら二つの発言を貫く共通する教育の考え方がある。「全員が百点」という理想であり、思想である。「ほとんどの子が一〇〇点をとるような力を本来もっている」のだから、授業のやり方や教育の内容次第では、「全員が百点」をとれる。それが、「正しい」教育であり、そう「しなければいけない」ことだと考えられている。政治的な立場を超えて、半世紀という時間を隔ててもなお、このような教育についての考え方が長い間、戦後の日本で受け入れられてきた。少なくとも前世紀の終わりまでは生き続けていたことを冒頭の引用は示している。この思潮への賛否は別として、このような考え方がある時代の日本の教育を特徴づけるものであったことは間違いない（苅谷一九九五）。

もちろん、今の私たちから見れば、このような思潮に違和感を持つ向きが多いに違いない。

胡散臭《うさんくさ》さや偽善をかぎ取る人もいるだろうし、こういう考えが日本の教育をだめにしてきたんだと、きっぱりと拒否感を持つ人もいるだろう。そういう人たちの頭をよぎるのは、その実態の正否とは別に、しばしば口の端に上る、手をつないでゴールへと駆け込む運動会の徒競走シーンである。「全員が一等賞！」。そして嘆じる。「結果の平等」ばかり強調していたらだめだ。だから、個性が育たない。「結果の平等」から「機会の平等」にシフトすべきだ……と。あるいは、こういう批判もある。「下」にあわせて全員が百点では「上の方」はどうなるんだ。現実の社会は競争社会なのに、学校だけ競争を否定しても無駄だ。「悪平等」の典型だ……、と。

こうした反論のもっとも洗練された表現を、私たちは、かつて小渕恵三《おぶちけいぞう》首相の下で組織された「二一世紀日本の構想」懇談会の報告書に見出すことができる。これもまた前世紀末の言葉である。

残念ながら、日本の社会には個人が先駆性を発揮するのをよしとしないきらいがある。日本人のもつ絶対的とも言える平等感と深く関わるが、「結果の平等」ばかりを問い、縦割り組織、横並び意識の中で、〝出る杭〟は打たれ続けてきた。「結果の平等」を求めすぎた挙句、「機会の不平等」を生んできた。

「『結果の平等』ばかりを問う」ことで、「〝出る杭〟は打たれ続けてきた」。だから、結果の平等から機会の平等へと転換しなければならないというのである。こうした転換を求めるとき、念頭に置かれているのが、行き過ぎた「結果の平等」のイメージであることは間違いない。しかも、この懇談会のメンバーの頭の中には、「機会の平等」への転換が必要なのは、それがそれまでの日本には足りないと思われていた「個の自立」につながるという想定があった。その箇所を引用する。

所属する場の和を第一に考える日本人の傾向は、先進国のなかでは貧富の差が少なく、比較的安全性の高い国を生み出すという利点を持った。しかし、個人の能力や創造力を存分に発揮させる場としてはむしろ足かせとなってきた。

グローバル化や情報化の潮流の中で多様性が基本となる二一世紀には、日本人が個を確立し、しっかりとした個性を持っていることが大前提となる。このとき、ここで求められている個は、まず何よりも、自由に、自己責任で行動し、自立して自らを支える個である。自分の責任でリスクを負って、自分の目指すものに先駆的に挑戦する「たくましく、しなやかな個」である。

一方で、戦後の日本が「先進国のなかでは貧富の差が少ない」〝平等な〟社会をつくり出してきたことを認めつつ、「しかし」と、その代償に言及する。「和を第一に考える日本人の傾向」が「足かせ」となって、「個人の能力や創造力を存分に発揮させる」ことを妨《さまた》げてきたと言明する。「和を第一に考える日本人の傾向」とここでは言っているが、先の引用とあわせれば、それが「結果の平等」と重ね合わせてイメージされていることは間違いない。

ここには、機会の不平等をもたらした、行き過ぎの「結果の平等」を正すことが「たくましく、しなやかな個」の形成につながるはずだというロジックが示されている。つまり、たんに社会の平等・不平等を論じるだけではなく、その延長線上に、「自立した個人」をいかにしてつくり上げるか、といった——戦後の知識人が長年追い求めてきた——「個人の形成」の問題と結びついていたのである。

こうした議論の中心にあるのが、平等についての戦後日本的な考え方である。「全員が百点！」を標榜《ひょうぼう》する一方の極から、行き過ぎた「結果の平等」を「機会の不平等」とする見方に至るまでの振幅を持つ議論がそもそも成立するには、その中心に、戦後の日本社会がつくり上げてきた「平等」についての考え方があった。欧米的な視点に立ち、厳密にその概念規定を行なえば、「結果の平等」とも「機会の不平等」とも言えない〈何か〉（註1）。本書が対象とするのは、それがいかなるものであったのか、という問いである。

この問いへの解答を、私は、戦後の教育を対象に、〈平等神話〉の解読として行なっていく。

かつて、ロラン・バルトは、神話の作用について、「歴史を自然に移行させる」ことであると言った（バルト一九六七、一六九頁）。「自然」、すなわちあたりまえのこととして、「歴史」を忘れさせてしまう。つまりは、ものごとを自明視することによって、批判的なものの見方を「屈折」させてしまうということだ。そこに、神話の作用がある。

戦後の日本社会に特徴的な「平等」――考え方だけにとどまらず、その制度化やその作動、さらにはその影響やその結果としての状態を含めて――があったとしたら、それはどのようにして生まれ、どのように変節してきたのか。それが生成する過程で、私たちにどのような影響を及ぼしてきたのか。「全員が百点！」を標榜する立場も、それを日本的平等観と単純に見なし批判する立場も、いずれも「歴史」を忘れている。あたかも、それらがすでにそこにあるものとして見なしている。だから、さまざまな誤読や誤解が生まれるのだが（註2）、そうした錯誤＝屈折が生じる理由を探るためにも、「歴史」を取り戻すことが重要な課題となる。それが、本書が取り組む、平等神話の解読にほかならない。

そして、そのために焦点をあてるのが、義務教育におけるお金（税金）の動きである。

公教育が税金によってまかなわれている以上、そこで行なわれる教育を支えているのは、さまざまな教育資源（施設・設備、教職員、教材・教科書、その他諸々の財やサービス）であり、それらの多くは、義務教育の場合、公的な教育支出に負っている。当然、そこには、どのようにして教育資源を配分するかを決めている仕組みがある。さらには、そうした仕組みを動かしているルールや考え方がある。それらは、義務教育を実施するための、そのもっとも基底にある資源配分の考え方＝ロジックと言っていいだろう。

ところが、私たちの多くは、それらがいかなるものかを知らない。ましてや、そこでのルールやそのルールの元になる考え方、理想、理念といったものが何であったのか、それがどのように作られ、制度化され、どんな影響を教育の実態に及ぼしてきたのか、私たちの考え方にどう影響してきたのかを知らない。さらに言えば、これらのことがらが、戦後どのように変化してきたのかを知らない。知らなくても、いまの教育を論じることはできる。そこで生じた不平等や、百点を取らせるための教育に関する議論に参加することもできる。つまりは、「歴史」を知らずとも、教育の議論ができるということだ。

いや、もっと言えば、そのようなことに気づかずとも、毎年、日本中のすべての公立小中学校にはお金が配分され、そのお金で雇われた一定数の教師が、これまたそのお金によって利用できるようになった施設や設備や教材を使って、日々「教育」を行なっている。その資源の配分には、必ず一定の仕組みとルールがあり、それを私たちが――多くの場合は暗黙のうちに――受け入れているからこそ、中断することなく教育が行なわれているのである。つまり、何も知らず、何も気づかずとも教育が行なわれ続ける、その基盤にあって教育を支えているはずの仕組みやルールに、私たちは目を向けるのである。

本書の企ては、こうして「歴史を自然に移行」させてしまったことが生み出す平等神話の解読である。そのために、この神話のもっとも基底にあると私が仮定する、教育資源の配分の構造とそれを作動させているルールに着目し、それらを地層から掘り起こし、時間軸に沿って、その生成と変化を再構成してみようというのである。

この目論見《もくろみ》がどれだけ、戦後日本の教育と社会の深層に到達しているかは、読者の判断を待たなければならない。だが、深層へと掘り下げていく過程で明らかになる問題群を、予め《あらかじ》示しておこう。

めざすべき主たる鉱脈は、もちろん、戦後日本の「平等」とは何であったのかである。しかし、この主鉱脈の発掘と関わって、他のいくつかの問題群に解答を与える視座も得られるはずだ。

一つは、なぜ、日本の教育論議が、二分法的・二項対立的（ダイコトミー）な図式にはまりやすいのかという問題への解答である。詰め込み教育「対」ゆとり教育の論争や、中央集権「対」地方分権の議論、あるいは教育の国家統制「対」教育の国民権の論争を思い出すまでもなく、私たちが教育を論じるスタイルの典型として、「白か黒か」をめぐる議論がある。これらの議論の特徴は、批判されるべき一方の項がなくなれば、望ましいと見なされる他方の項が、教育をよくするという前提に立っているところにある。たとえば、国家による教育の統制があるから、教育の地方分権が進まず、教育がよくならないといった主張や、受験競争がなくならない限り「本来の教育」はできないといった暗黙の想定である。しかし、こうした二分法の多くは、神話にとらわれているといっていいだろう。戦後日本の教育の基底で働くロジックを見逃しているからである。それゆえに、表層のところで議論が行なわれ、核心を衝く議論に至らない。どうしてそうなってしまうのかの分析をこれから行なっていくのだが、本書を通じて副次的に明らかになることの一つは、こうした教育の論じ方の限界がなぜ生じたのかという問題である。

少しだけ予告をしておく。教育の基底で働くロジックは、本書で「アンビバレンス」と呼ぶ状態にある。既存の議論が二分法的図式にずれ込みやすいのは、それらの議論がこのことをとらえ損《そこ》ねているためである。

「アンビバレンス」という少しばかり難しい用語を用いたが、辞書的な意味によれば、「両義性」とか「両価性」と訳されることのある「アンビバレンス」とは、「同一の対象に対して、愛と憎しみのような相反する感情や態度が同時に存在すること」である。一見対立する二つの価値や論理が、並び立っている状態のことである。もっとやさしく言い換えれば、「白か黒か」そのどちらにもつかず、そのいずれをも並び立たせた「価値の両抱え」の状態といってよい。このような価値の両抱え状態を含んだロジックが、戦後教育の基底に組み込まれていた。それを明らかにするのが本書の課題である。

ところが、多くの教育論議は、そこまで目が届かない。目が届かなくなる理由は、まさに神話にとらわれていて、「歴史を自然に移行させ」てしまっているからなのだが、そうなるまでの「歴史」を明らかにすることで、私たちは安易な二分法的発想が、なぜかくも教育論議を通じて繰り返されてきたのかを理解することができるようになるだろう。現代の教育問題を直接論じるのではなく、一度歴史をかいくぐることで、教育の論じ方を「屈折」させてしまう仕掛けに理解が及ぶ。そういう副産物を本書はもたらしてくれるはずである。

二つ目の問題群は、個人をめぐる問いである。先の「二一世紀日本の構想」懇談会の報告書に典型的に見られたように、戦後日本の平等をめぐる議論では、必ずといってよいほど、個人や個性との関係が論じられる。一定の平等な社会の形成には寄与してきたが、行き過ぎた平等が、個人の自立や個性の発現を阻んできたといった問題設定である。

こうした問題群に対して、本書では、「個の平等」に対し「面の平等」という形で実現されていく戦後日本の平等のあり方・でき方を提示する。個と面という二分法を用いると、すぐさま、日本的な集団主義を思い浮かべ、そうした視点からのありきたりの答えが用意されると思われるかもしれない。しかし、本書が試みるのは、そのようによくある文化論的な解答ではない。その違いを際立たせるために少しだけ議論を先取りして言えば、個人間の差異を前提にした「個の平等」を求めながらも、結果的にはそうはならなかった歴史的な制約に目を向けるのである。個人を単位とするより、一定の空間的な範域を対象とした「面の平等」として立ち現れざるを得なかった日本的平等の変節と逆説を描き出す。その歴史をひもとき、比較社会学的・知識社会学的な考察を加えることで、個人をめぐる問題群に答えようというのである。

三つ目に、本書のサブタイトルやこれまでの論の進め方からも容易に推察できるように、本書は前著『大衆教育社会のゆくえ』とは別の視点から、大衆教育社会がいかに生成してきたかを明らかにする試みでもある。前著では、戦後日本の教育と社会の関係を、教育の不平等が隠蔽《いんぺい》されるメカニズムに焦点をあてて分析を行なった。そこでも戦後日本の「平等」が重要なテーマだったのだが、本書では、それをさらに掘り下げ、戦後の日本社会が大衆教育社会として成立していく過程を、資源配分の問題と絡《から》めて論じる。その意味で、本書は、前著の続編というより、そのさらなる進化版である。

平和で民主的で平等な社会をつくり出すために描かれた戦後教育の設計図。はたして、そこに込められた理想は何だったのか。設計段階でどのような制約が影響したのか。実際にできあがっていく〈システム〉は、設計図どおりに作動したのか。その工程にはどのような力が働いたのか。これらを明らかにするために、戦後教育の基底となる財政の歴史をくぐり抜ける。そこから、平等神話の解読につながる「歴史」を呼び起こすこと。それが本書の導きの糸となる。

註

1、この問いを掲げていることからわかるように、本書では、「全員が百点！」が戦後日本的な教育の考えであったという単純な措定はしていない。一つの極論としてそれを含みつつも、一定の広がりをもった平等についての考え方をここでは戦後日本に特徴的な平等観と呼ぶ。その具体的な内容については、論が進むにつれて明らかになっていくはずである。

2、「二一世紀日本の構想」懇談会に典型的な「結果の平等」と「機会の平等」の誤読については、拙著『階層化日本と教育危機』第六章を参照してほしい。また、一九六〇年代の「全員が百点！」の歴史的背景については、『大衆教育社会のゆくえ』第五章を参照。

第一章　対立の構図と問題の底流

物語のはじまり

一九五八（昭和三十三）年は、「戦後」を語る上でいくつかのエポックを画する年であった。東京タワーの完成がこの年にあたる。日本の中心、東京に聳《そび》え立つオレンジ色の鉄塔は、「より高く、より大きく」を天に向かって指し示す、高度成長のシンボルそのものであった。そしてまた、庶民にも手の届く大衆車の象徴として、軽自動車の名作、スバル三六〇が発売されたのもこの年である。これらは、大衆が担う、成長の時代というドラマの幕開けを象徴する格好の舞台装置であった。

その同じ年に、教育界にとって重要な二つの制度ができあがった。一つは、改訂版「学習指導要領」である。この年に改訂された学習指導要領は、それ以前に付されていた「試案」の文字が消え、「学校教育法施行規則の一部を改正する省令」として登場した。その後、法的な拘束力を持って、教育内容の基準を定めることになった制度である。もう一つは「義務教育における学級定員及び教職員標準法」（以下、「標準法」ないし「義務教育標準法」と略記）であり、一学級あたりの児童生徒数とそれに応じて算出される教職員定数の「標準」を定めた法律である。後の章で明らかにする、「標準法の世界」をつくり出す上で不可欠な車輪の一つとなった制度である。

これら二つの制度の成立は、その後の義務教育の枠組みを形作る上で、まさに日本的な特徴を生み出す出来事だった。そして、それは、高度成長期の到来と相まって、「大衆教育社会」の誕生につながる制度的な基盤を用意するものでもあった。さらに広げて言えば、明治維新以来、一九五〇年代半ばまで続いた日本社会の基本的な構造に変更を迫る、戦後日本の「平等」と結びつく教育制度を準備したと言っても過言ではない。教育環境や教育条件を全国くまなく均質化することで、大衆教育社会の成立に不可欠な地均《じなら》しが、これらの制度を通じて実現していく。まさに、教育の標準化が、高度成長期の開始とともに始まろうとしていたのである。

標準化とは、何らかの基準をガイドラインとして設定することを指す。さらには、その基準に合わせることで、ある側面での差異をなくしていこうとする力の働きを含むこともある。規格化と言い換えることもできる。戦後日本の場合、標準化がまさしく、一つの規格に合わせる力の作用として働くことになるのだが、その歴史をひもとく前に、ここでは、標準化をめぐる戦後日本の教育の対立の構図を見ておこう。対立の構図を浮かび上がらせることによって、教育の標準化が推し進められた時代背景を理解することができるからである。

なぜ昭和三十年代か

ところで、昭和三十年代初頭が、教育における標準化時代の幕開けとなったのは偶然ではない。第一に、サンフランシスコ講和条約の締結により、一九五三（昭和二十八）年に戦後の「占領」時代が終わり、日本の独立が回復されたことが大きい。とくに終戦直後の教育政策については、アメリカの影響が強かったのだが、ＧＨＱの専門部としておかれたＣＩＥ（民間情報教育局）の指令で進められてきた戦後教育改革は、必ずしもその意図どおりには進んでいなかった。急激かつ大胆な戦後教育改革の過程で生じたさまざまな問題を解決するにあたり、「独立」の回復は、日本流の解決策を探る道を開くことになった。そうした基調が明確な形を持って表れるのが、昭和三十年代初頭の時期に当たったのである。

第二に、義務教育に関していえば、もう一つの重要な要因が人口動態であった。終戦後に生まれた第一次ベビーブーマーがこの時期に、義務教育の学齢期を通り過ぎていった。この大波が通過していくことを見越して、教育の標準化が本格化していくのである。ここには、子どもの数に応じて必要となる、教育を担う教職員の数と、それを支える教育財政の問題が絡んでいた。昭和二十年代後半にベビーブーマーの大量就学を迎え、教員数を増やすことになるのだが、その後、一度増やした教員をどうするかという問題が、昭和三十年代に発生するのである。

こうした背景の具体的事情をいかに理解するかによって、国家主導による標準化の意味も、それがいかなる形式をもって実行に移されたのかの理解も違ってくる。その意味で、文脈に照らし合わせて事象を詳しく検討していくことが、歴史を理解することにつながるのである。

1 「逆コース」の意味

見解の相違

一九五八(昭和三十三)年に小中学校の学習指導要領が改訂された(五八年改訂)。それ以前に「試案」として提示されていた学習指導要領とは大きくその制度的性格を異にする改訂であり、まさに大改訂と言ってよいほどの制度改革を意味した。そして、この改訂は、戦後教育史の定説としては、長い間、教育の国家統制を強めた「逆コース」への重大な一歩と見なされてきた。

やや横道にそれるが、それまでの指導要領に「試案」の二文字が冠されていたのは、定説によれば、国が定めた指導要領といえども、国家による法的拘束力の弱い、学校の裁量権を拡大するための字句であったためと解釈されている。それに対し、文部省側の見解は、そのときの学習指導要領の公式の英訳、A Tentative Suggested Course of Study General にあるように、まさに「暫定的」に定めた、「未完成」のものであったという理解である（木田一九八七、三九八～三九九頁）。戦後の混乱期につくったものなので、まだ十分なものではないという意味で、「試案」とつけたのであり、もともと基準性を備えていたというのである。その後、一九五八年に「法規の文言を整理して（基準性を）はっきりさせた」（木田一九八七、三九九頁）という。学校教育法（第二十条）や学校教育法施行規則（第二十五条）で、教育課程や教科書の内容が学習指導要領に準拠すべきことが法的に明確になったのが、この節で扱う一九五八年改訂に伴う教育課程の制度化だったということである。

こうした「試案」という文字をめぐる解釈の違い自体が、学習指導要領という制度の特徴をどのように見るかにかかわり、政治的な立場によって大きく隔たる見解の相違を象徴している。一方は国による基準の設定を当然のこととし、他方はそれを国による統制の強化と否定的に見なす。見解の相違がこれだけ鋭く対立するほど、この年に行なわれた学習指導要領の改訂は、戦後教育の対立軸を如実に示す教育制度の改変であった。それを本書の議論の出発点におくのは、二項対立図式として見えやすいこの問題が、教育の標準化と機会の平等をめぐる「アンビバレンス（価値の両抱え状態）」を示す格好の事例だからである。

文部省「対」日教組

それでは、両者の見解の相違は、具体的にはどのようなものだったのだろうか。対立の構図をあぶり出すために、まずは、批判派の見解を検討しよう。

批判の急先鋒《きゆうせんぽう》だった日教組（一九五八年の組織率は八六％）は、新しい学習指導要領が告示された翌年の一九五九年に、『新教育課程の批判』を発表した。そこには、（A）昭和二十六（一九五一）年の指導要領と（B）昭和三十三（一九五八）年の指導要領の二つからの抜粋が掲げられ、そのあとで、それらを対比させる論評が加えられていた。この文章から、日教組が何を問題視していたのかが明らかとなる。

まずはそこで取り上げられた、（A）と（B）の抜粋を紹介しよう。

（A）のグループとしてまとめられた昭和二十六年の学習指導要領からの抜粋は、以下のようなものであった。

・学習指導要領は、どこまでも教師に対してよい示唆《しさ》を与えようとするものであって、決してこれによって教育を画一的なものにしようとするものではない。

・学習指導要領や、その他の文書は、あくまで、実施のための手引書であって、それをどのように生かしていくかは、教育を実施する教師のひとりひとりの責任にかかっている。

・文部省で編修された学習指導要領に示された学習内容は、全国の学校が、その地域の差に応じて選択することを予想して書かれてあるから、（中略）学校はそれぞれの地域の事情に応ずるように学習内容の選択がなされることが望ましい。

・各教科に全国一律の一定した動かしがたい時間を定めることは困難である。

では、（B）にはどのようなことが書かれていたのか。つぎにそれを紹介する。

・小（中・高等）学校の教育課程については（中略）教育課程の基準として文部大臣が別に公示する小（中・高等）学校学習指導要領によるものとする。（昭和三十三年八月二十八日改正学校教育法施行規則二十五条）

・第二章に示す各教科の内容に関する事項は、特に示す場合を除き、いずれの学校においても取り扱うことを必要とするものである。（昭和三十三年十月公示、改定小学校学習指導要領、四頁）

・第一学年および第二学年においては、一部の教科について合わせて授業を行うことができる。（中略）（この場合）当該小学校の設置者は、市町村立の小学校にあっては都道府県教育委員会に、（中略）届け出なければならない。（昭和三十三年八月二十八日改正学校教育法施行規則二十五条の(二)）

・小（中）学校の各学年における教科及び道徳の授業時数は、別表(一)に定める授業時数を下ってはならない。（昭和三十三年八月二十八日改正学校教育法施行規則二十四条の(二)）（日本教職員組合一九五九、二七頁）

これらの文章の抜粋を対比させた上で、『新教育課程の批判』ではつぎのようなコメントが加えられている。

もし予備知識なしにこの二つのグループの文章だけを見せられたら、人びとは、このAとBとは、全くちがった国の制度を示したものだろうと思うか、同じ国ならBのほうが五十年も百年も古い時代のものだろうと思うか、どちらかではないでしょうか。それほどこのAとBの二つの考え方、二つの教育行政の姿勢は、かけはなれているのです。しかもこのようにかけはなれ、白と黒、天と地とのちがいと言っていいほどちがった制度が、同じ国日本の昭和二六年と三三年という、わずか七年の年月のへだたりをおいて作られた制度であり、しかもBからAに変わったのではなく、AからBに変わったのですから、これは、じっさい、大へんな変わりかただといわなければなりません。（日本教職員組合一九五九、二八頁）

国家による統制

「白と黒」、「天と地」ほどの違いと見なされた学習指導要領の対比の中核にあったのは、「教育行政の姿勢」の違い、すなわち、国家による教育内容の統制をめぐる相違であった。

この文章は、当時の著名な教育学者、梅根《うめね》悟《さとる》によって書かれたものである。つまりは、労働組合としての日教組という立場からだけではなく、教育研究の専門家の視点から書かれた文章でもあった。

なるほど、このように見ると、ここには文部省の豹変《ひょうへん》ぶりがうかがえる。教師や学校現場の自主性を尊重する立場から、国家統制、画一教育を強める方向への変化である。現代の視点から見ても、おおかた（A）の見方に賛同し、（B）の見方に抵抗感を持つ人が多いに違いない。（A）を支持する心情の背後には、「画一教育」や「中央集権」への忌避感があるはずだ。こうした心情が、その後、日本の教育を批判する際の常套句《じょうとうく》として使われるようになる。その嚆矢《こうし》として、「試案」の文字の消えた学習指導要領の改訂があったのである。

画一教育や文部省による中央集権的な教育制度への批判的な見方は、その後も長い間私たちが共有する見方となった。中央集権「対」地方分権とか、画一教育「対」個性尊重教育といった、二分法的な教育論を引き出す対立の構図である。だが、こうした見方は、一九五八（昭和三十三）年という時点にまでさかのぼって、当時の時代背景や教育の実態という文脈に位置づけ直してみると、ことの半面しか見ていないことに気づく。たしかにこの改訂によって、国の統制は強まり、「画一的」な教育が出現するのだが、なぜこの時期に、このような改訂が行なわれたのか。その背景を調べてみないと、改訂の意味は浮かび上がってこない。歴史の文脈から、ある現象だけを取り出してしまうと、安易な二分法的発想にやすやすとはまってしまうのである。

文部省の言い分

それでは、当の文部省は、この改訂の背景をどのように説明していたのだろうか。まずは、文部省の言い分を見ておこう。

改訂の趣旨を説明した文書の中で、文部省は、改訂が必要になった理由をつぎのように述べていた。

・当時わが国はまだ占領下におかれ、学習指導要領の内容決定についてもすべて連合国軍司令部の指導と承認を得なければならなかったのである。そこには、アメリカの比較的新しい教育の考え方が基本となっていたが、具体的な問題になると司令部の係官の間の意見調整が容易でなく、また、わが方の新教育についての研究も日なお浅く、わが国の実情をじゅうぶんに踏まえて検討するというところまでゆき得なかったのである。

・この間、特に問題とされた事がらは、基礎学力、道徳教育、地理・歴史教育などであったことは周知のとおりである。このような問題は、また教育の能率化の観点から、教育内容構成の問題、教育方法の問題とも関連して種々の論議がなされてきた。教育内容の問題としては、今の学校教育は、日常ひ近な雑多の事象を体系なしに教え、教育に無駄が多いのではないか、もっと基礎的・基本的な事がらを筋道立てて教える必要があるのではないかという批判であった。また、教育方法の問題としては、今の教育は余りにも経験主義に把《とら》われ、児童の生活や経験をそれぞれの教育的価値についてじゅうぶん検討することなく、これに把われ過ぎているのではないか。しかもこのことが教育内容の構成にまで及んで、教材配列の系統性を軽視するというような風潮が現れてきているのではないか、児童の経験は尊重されるべきであるが、教育内容の構成においては教育の能率という観点からもっと系統性ということが重視されなければならないのではないかというような論議であった。そして、これらの論議は、つまりは現行の学習指導要領に起因するところが大きく、小学校と中学校とで一貫性に欠ける点が多々見受けられたり、各教科の重複や、学年毎《ごと》の目標・内容が明確でないというような点が指摘されてきたのである。（文部省一九五八、二五五～二五六頁）

これらの説明には、文部省が同時代の教育の実態をどのように見ていたのかが示されている。戦後、占領軍の指導の下に「アメリカの比較的新しい教育の考え方」＝「新教育」が導入された。だが、それは、日本の「実情をじゅうぶんに踏まえて」検討されたものではなかった。それゆえ、「余りにも経験主義に把われ」、教科の「系統性」が軽視されている。「基礎的・基本的な事がらを筋道立てて教える」ことが不足していたというのである。「児童の経験は尊重されるべき」だとしながらも、その実現の難しさにも目を向けていた。このように、文部省の側は、理想と現実との間に乖離《かいり》があることを問題視していたのである。

左から右へ

これに対し日教組は、五八年改訂の理由を、むしろ日本の政治の大転換に求めていた。

「教育課程行政なり教育行政が、日本の政治的、経済的情勢の変化にともなって影響されている」という視点から、改訂の理由をつぎのように説明したのである。

（コース制を導入した高校教育課程の改訂、新教育委員会法の成立、勤評の強行実施、校長の管理職手当などの制度化の例を挙げた上で——引用者註。これら）多くの重要な教育問題が権力の側から出されてきています。試みに以上にあげた諸問題の一つ一つを詳細に検討していけば、内に反民主主義的ファシズム体制の強化をねらい、独占資本による支配を浸透させ、その強化浸透の度合いに対応して、外の対米従属関係が深められてきていることを詳細に読み取ることができるだろうと思います。こう考えてくると、視点を教育課程行政という点にしぼってみた場合、今回の指導要領改定《ママ》の内容や方針は、二十八年頃からしだいに築き上げられてきた諸側面の集約だとみられます。すなわち改定《ママ》の基本方針としてあげられた諸項目——道徳教育の徹底、基礎学力の充実、科学技術教育向上、進路・特性に応じた教育、国家基準の強化など——が、権力の反動体制強化のための五カ年計画の成果だといえるわけです。（日本教職員組合一九五九、一七頁）

これまた、戦後教育史の通説に通じる見方である。すなわち、保守政権の右傾化・「逆コース」の一環として、戦前回帰ともいえる教育の国家統制が始まったという見方であり、それを後押ししていたのが、「独占資本による支配」や「対米従属」といった政治的、経済的な理由であった、というのだ。そして、それに対置して、五八年より前の学習指導要領の考え方を、「教育的」な立場から肯定する。改訂の必要性として文部省が挙げた理由も、こうした大きな政治・経済的文脈の上で理解され、国家による統制強化であると断定されたのである。

「白と黒」、「天と地」ほどの差異があると見なされた二つの指導要領の考え方の違いは、なるほど、戦後教育史の通説にしたがえば、鋭い対立をあらわにしたものだった。そして、五八年改訂の動きに対しては、「逆コース」、国家統制の強化、「新教育」から詰め込み教育への転換といわれ、否定的な評価が主流だった。「白黒」をはっきりさせようとする二分法的発想に立てば、五八年以後の学習指導要領や教育課程行政のあり方は、戦後間もなくの頃の「民主教育」からの逸脱、反動の歴史と映ることは必定であった。

しかし、こうした見方に立ってしまうと、五八年改訂がなぜ求められたのか、それが教育の標準化を進める上でどのような意味をもっていたのか、なぜその時代に教育の標準化が進められたのかといった問題を見逃してしまう。一見すると、たしかに左から右へと大きく舵《かじ》が切られ、国家主導の教育課程行政の盤石《ばんじゃく》な体制ができあがったかのように見えるが、はたしてそれは、「民主教育」からの逸脱や反動だったのか。政治的な対立図式から、教育の標準化を教育の国家統制として見てしまうと、その深層でより複雑な力学がどのように働いていたのかをとらえ損ねてしまう。「白黒」の二分法で教育を論じる限界が露呈してしまうのである。

もちろん、ここでのねらいは、文部省の主張が正しかったと文部省を弁護することではない。そんなことをすれば、自ら二分法的発想にはまっていくようなものだからだ。そうではなく、文部省の政策変更自体が、どのような時代認識をもっていたか、その認識がどれだけ実態を反映していたか、さらには、そのような認識のもとで下された判断が、どのような価値や理念によって導かれたものか。また、そうした価値や理念は、文部省の思い描いたとおりに実現したのか。それを妨げたり、促したりするダイナミズムがどのように働いたのか。こうした問題を実証的に明らかにしようとする本書の分析課題と照らし合わせたときに、文部省「対」日教組という対立図式による教育の見方が、どれだけ安易な二項対立図式に陥っていたかを示すために、ここでは「天と地」ほども違う、「白黒」のはっきりした論点を取り出したのである。

2　六三制という大実験

地域間の教育格差

新制中学校の誕生は、戦後六三制の要《かなめ》ともいえる教育改革であり、大衆教育社会の土台となる義務教育の三年間延長を成し遂げたという意味でも、決定的な改革の一つであった。しかも、新制中学校を義務教育に付け加えることは、当時の世界標準から見ても、きわめて野心的な試みであった。とりわけ、敗戦によって社会のインフラに大打撃を受けた戦後の日本にとっては、ハードルの高い望みでもあった。

学校の建物の多くが破壊された中での新たな中学校の建設は、それ自体、戦後教育の厳しいスタートを意味した。文部省教育施設部長、田中徳治は、『文化国家の建設は六・三制学校施設の整備から』と題する本の序で、その窮状をつぎのように述べていた。

財政窮乏の下にありながらも、六・三制義務教育その他の新学制がわが国に実施されたことは、それが名実共に軌道に乗るには程遠いにせよ、教育の民主化が制度の上に実現されたものであり、将来への健全な文化、民主国家の育成の基盤の第一歩が踏み出されたものとして、その意義は深い。しかしこの新学制を完全に遂行するための施設の整備には多額の資金と物的資材を必要とし短年月にその整備を期することは困難であり、国民に大きな負担犠牲が要求されるであろう。

今や終戦後五年目を迎えたが戦災復興は漸く四〇%程度に過ぎず、六・三制も二部授業、仮校舎授業、過剰《かじよう》学級あるいは危険校舎使用の解消には未だ程遠く、その整備には相当大なる建設費を必要とする。（文部省教育施設研究会編著一九五〇、三頁）

このような中で、理想に燃えた「新教育」がスタートしたのである。しかも、新教育を支える行財政の制度的基盤は、これまた戦後スタートした「地方分権」のもとでの試行錯誤の連続であった。

教育条件の格差——教育費・教員構成と学力

こうした新教育は、日教組が支持していたとはいえ、その理想とは異なる結果をもたらしつつあった。その最大の問題点は、地域間の教育格差にあった。一九五八年改訂の二年前の一九五六年に、大規模な全国学力調査が実施された。これはその後一九六一年から始まる悉《しっ》皆《かい》調査とは異なるものの、「今回のような大規模な調査は、従来実施されていなかった」といわれる、教育施策の立案をも射程に入れた調査としては最初のものであった。

この調査の目的は、「全国的な規模において、小学校・中学校・高等学校における児童・生徒を対象とし、国語・数学（算数）の二教科における、いろいろの角度からの学力の実態をは握《あく》して、学習指導および教育条件の整備・改善に役立つ基礎資料を作成することを目的とする」ことにあった。とりわけ後段の目的については、さらに詳しく、「教育条件の違いによる学力の差異の考察を行うとしたことである。すなわち、学校規模、地域類型等のいくつかの教育条件を設け、それぞれの条件が相違することによって、学力がいかに変わるかという点を明らかにしようとしたことである」（文部省一九五七、一頁）と述べられている。まさに、五八年の改訂につながる、「学習指導および教育条件の整備・改善に役立つ基礎資料」を提供することになる調査だったのである。

それでは、この調査から何が明らかになったのだろうか。「教育条件の違いによる学力の差異」の部分に焦点をあてて、調査の結果を見てみよう。

はじめに、教育費と学力との関係である（表1－1）。これらの表の下に、つぎのようなコメントがつけられていた。

どの（学校）規模においても、多少の例外を除いては、児童・生徒一人当り消費的支出

表1－1　学校規模別、児童・生徒1人あたり教育費別の学校平均点の平均

(1956年)

a　小学校

教育費＼学校規模	241人〜360	361〜480	481〜600	601〜900	901〜1200	1201〜1500	1501人以上
円　円	点	点	点	点	点	点	点
1001〜 2000	−	−	−	35.0	−	−	−
2001〜 3000	35.0	−	−	−	−	−	−
3001〜 4000	−	−	−	−	35.0	−	−
4001〜 5000	35.0	−	35.0	−	−	−	−
5001〜 6000	−	−	−	−	35.0	−	35.0
6001〜 7000	−	25.0	15.0	36.5	35.8	37.2	42.1
7001〜 8000	27.5	31.7	32.7	35.0	39.7	39.6	44.2
8001〜 9000	32.3	31.4	33.1	39.2	39.4	39.7	43.2
9001〜10000	31.9	36.5	36.3	34.4	42.8	39.0	43.0
10001〜11000	35.9	34.3	35.0	39.0	41.7	38.3	45.0
11001〜12000	36.3	33.8	39.0	39.3	41.7	40.0	45.0
12001〜13000	34.2	32.1	41.7	32.5	45.0	47.5	−
13001〜14000	38.3	40.0	−	40.0	45.0	−	−
14001〜15000	35.0	35.0	35.0	35.0	50.0	−	−
15001〜16000	35.0	−	−	40.0	−	−	−
16001〜17000	−	−	−	45.0	−	−	−
17001〜18000	−	−	55.0	−	−	−	−
18001〜19000	35.0	−	−	−	−	−	−
19001〜20000	−	−	45.0	−	−	−	−

b　中学校

教育費＼学校規模	241人〜360	361〜480	481〜600	601〜900	901〜1200	1201〜1500	1501人以上
円　円	点	点	点	点	点	点	点
7001〜 8000	35.0	−	−	45.0	−	45.0	40.0
8001〜 9000	35.0	35.0	−	45.0	45.0	35.0	51.3
9001〜10000	38.3	39.4	42.5	39.0	49.0	50.0	51.7
10001〜11000	36.8	39.8	39.0	42.7	47.5	50.7	52.0
11001〜12000	40.0	38.6	42.5	45.9	45.0	51.7	55.0
12001〜13000	39.7	43.3	43.0	45.0	51.7	45.0	45.0
13001〜14000	42.5	42.5	40.0	45.0	50.0	65.0	55.0
14001〜15000	37.7	41.7	45.0	−	−	−	45.0
15001〜16000	43.3	35.0	−	45.0	−	−	−
16001〜17000	35.0	40.0	−	−	−	−	55.0
17001〜18000	40.0	−	−	45.0	−	−	−
18001〜19000	45.0	−	−	−	55.0	−	−
19001〜20000	−	−	−	55.0	−	−	−

（主に教職員の給与等――引用者註）が増加するにつれて、学力も少しずつ向上していることがわかる。ことにこの傾向は、学校規模が大きい場合ほど例外が少なく明瞭《めいりょう》にあらわれている。（文部省一九五七、二五五頁）

さらに、

（児童・生徒一人あたり教育費が低額でも成績のよい学校、高額でも悪い学校があることにふれて――引用者註）もともと、教育費は直接学力に影響を与えるものではなく、それが教育条件の整備のために効果的に使用されたときにはじめて学力と関係をもつものである。（中略）それにもかかわらず、前掲表でみたように、全般的な傾向として教育費が増加するにつれて学力が向上するという事実は、教育費を多くかけることが、学力の向上にとって無駄でないことを示唆するものである。（文部省一九五七、二六四頁）

この当時、都道府県間には未だ著しい教育費の格差が存在していた。地域の財政力と密接に関係した格差である。その格差が、これらの表が示すように、義務教育段階での学力の差異に影響を及ぼしていた。教育費の格差を是正し、教育条件を整備することが、学力格差の是正にもつながるという認識が、全国学力調査を通じて示されていたのである。

報告書では、「学力と教員構成との関係」についても調査の結果を報告している。当時の財政事情に左右された教育界の課題の一つとして、正教員の資格を持たずに教壇に立つ教師が少なからずいたことが挙げられる。「補助教諭」と呼ばれた存在である。そこで、正教員＝普通免許状所有者と学力の関係が分析の対象となったのである。結果は、図1－1に示すとおりである。

この結果について、報告書ではつぎのように言う。

これらの表（省略――引用者註）と図によれば、教員の構成比すなわち、全教員中に占める普通免許状所有者の割合が大きくなるにしたがって、学力は向上していく傾向にある。ただし、これは全般的な傾向であって、両者の関係がひじょうに密接であるということではない。むしろ、両者の関係の度合は、相関係数、小学校＋〇・三四、中学校＋〇・二四が示すように、それほど深い関係にあるものではない。（文部省一九五七、二七〇～二七一頁）

けっして強い関係ではないが、教員構成の違いもまた、学力と関係していた。それもまた、条件整備の課題の一つだったのである。

さらに、当時の教育条件整備の課題として重視されていたのが、僻地《へきち》の教育である。僻地学校の学力について、報告書にはつぎのような結果が示されていた（表1－2）。これらをもとに、報告書はつぎのようにいう。

これらの表と図（省略――引用者註）によって、まずへき地学校と全国平均とを比較すれば、小学校も中学校も、また国語・数学とも、全国平均に比べて、へき地学校の点数は、はるかに低くなっている。すなわち、へき地学校の小学校の国語三八点、算数二四点に対して、全国平均のそれは国語四二点、算数二八点となっている。中学校では、へき地の国語四〇点、数学二七点に対して、全国平均の国語は四五点、数学は三六点である。

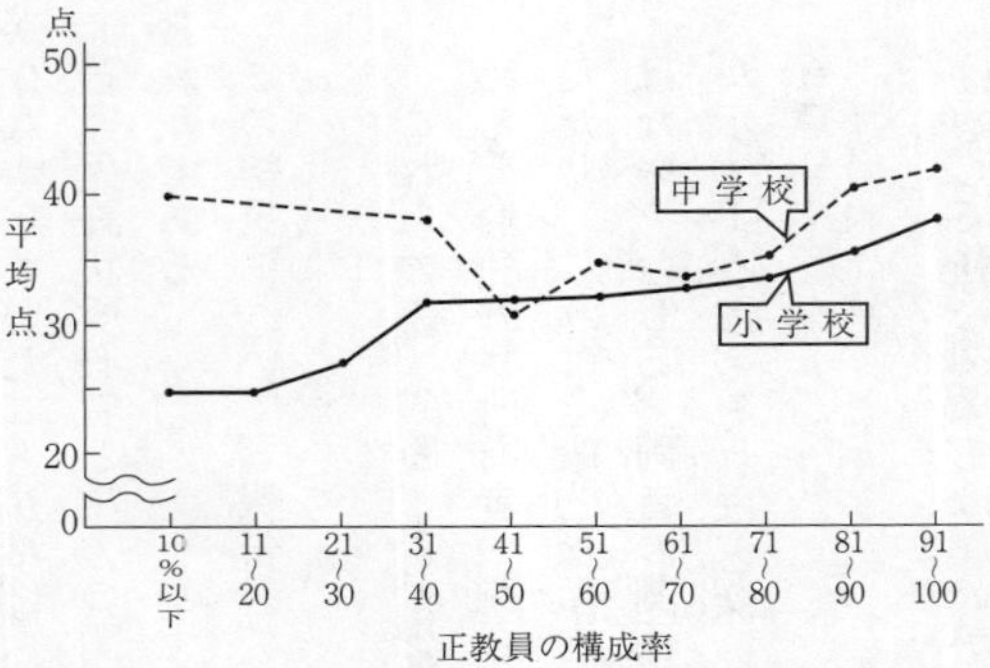

図1－1　正教員の構成率別の学校平均点の平均

つぎに、へき地と山村地域とを対比すると、国語・数学の平均点において、山村地域の小学校三一・九点、中学校三六・四点に対して、へき地では小学校三〇・八点、中学校三三・七点となっている。この数字から明らかなように、へき地の平均的な学力は、地域類型の中では最低の成績に属している山村地域の学力よりも、さらに劣っていることがわかる。これは、へき地における劣悪な教育条件がもたらした結果である。もちろん、これはへき地学校の平均的な姿についていっているので、個々の学校の中には、すぐれた教師の異常な努力によって、他の劣悪な諸条件を克服して、かなり高い成績を示しているものもある。しかし、全体としてみれば、へき地の劣悪な教育条件が、学力にも影響していると見ることができるわけであって教育の機会均等の趣旨の実現のためにも、適切なへき地教育振興策の必要を痛感せられる。（文部省一九五七、二七七頁）

表１－２　へき地の学校の平均点と全国平均、山村地域との比較

a　小学校

	国語・算数の平均	国　語	算　数
へ　き　地	30.8点	38.1点	23.5点
全国平均	35.3	42.1	27.8
山村地域	31.9	−	−

b　中学校

	国語・算数の平均	国　語	算　数
へ　き　地	33.7点	40.2点	27.1点
全国平均	40.8	45.2	36.2
山村地域	36.4	−	−

以上に見たように、一九五八年の学習指導要領

の改訂直前に行なわれた全国学力調査で、これら教育条件の不備や、その格差の影響を受けた学力の差異が把握されていた。これらは主に教育財政や人的資源の格差に基づく差異であったが、教育課程の面でも大きな差異があった。

教育課程の多様性

一九五九(昭和三十四)年度の教育白書『わが国の教育水準』によれば、その前年に学習指導要領の全面的な改訂が行なわれた事情について、小学校の授業日数について行なった調査データ(調査は一九五三年四月一日から五四年三月三十一日までの間に実施された)をもとに、つぎのような事実が示されていた。

わが国においては、昭和二五年以降、年間の授業日数についての法的な規制はなくなった。(中略)(その結果)この表(表1-3として掲示――引用者註)によると、多くの学校の年間授業日数は、二一〇日〜二四〇日であるが、最大と最小の間には、ほぼ二倍近いひらきがある。さらに各教科ごとに、また各学年ごとに履修される授業時数についてみると、学校間の差は、実に大きなものがみられる。義務教育の小学校において、その授業日数にこのような大きな学校差があることは好ましいことではなく、また、国民が同じように基礎学力を身につけ、国全体の教育水準を維持・向上する上からも問題視されるべき事がらである。（文部省一九五九、四二～四三頁）

このような実施面での教育課程の多様性という実態も、地域間格差という文脈に位置づけて理解する必要がある。なるほど、「学習指導要領に示された学習内容は、全国の学校が、その地域の差に応じて選択することを予想して書かれてあるから、（中略）学校はそれぞれの地域の事情に応ずるように学習内容の選択がなされることが望ましい」（一九五一年学習指導要領）には違いない。しかし、こうした「地域の事情に応ずる」教育は、同時に、「地域の差に応じ」る教育と不即不離の関係にあった。地域や学校ごとの主体性を謳《うた》った戦後教育の理想が、このような地域間での教育条件の差異という文脈において実施に移されていたことを忘れてはならない。たとえ「各教科に全国一律の一定した動か

表1－3　小学校の年間授業日数

年間授業日数	年間授業日数	
	学校数	比率
	校	%
計	395	100.0
131～140日	3	0.8
141～150	1	0.2
151～160	9	2.3
161～170	4	1.0
171～180	9	2.3
181～190	12	3.0
191～200	38	9.6
201～210	43	10.9
211～220	47	11.9
221～230	57	14.4
231～240	92	23.3
241～250	41	10.4
251～260	7	1.8
261～270	—	—
271～280	—	—
281～290	—	—
無　答	32	8.1

しがたい時間を定めることは困難」であったとしても、「地域の事情に応ずる」教育を、その時代に存在した著しい地域間格差という文脈に位置づけ直してみると、教育課程の多様性という実態が、ポジティブな面だけではなく、ネガティブな面を併せ持っていたことが浮かび上がるのである。だから、先に引用した教育白書『わが国の教育水準』では、先述の指摘に続いてつぎのように結論づけたのである。

このような実情から、わが国においては、学校教育法施行規則を改正して、各教科・道徳について各学校ごとに表（表1-4、表1-5として掲示）のように年間の最低授業時数を規定し、小学校は昭和三六年度から、中学校は昭和三七年度から実施することにしたのである。（文部省一九五九、四三頁）

このように見ると、教育の標準化を進めた背景が明らかとなる。たしかに日教組が批判したように、そこには五五年体制のもとでの政治的対立の影響がなかったわけではない。しかし、こうした調査を通して明らかとなった教育の実態を目の前においたとき、はたして「白黒」はそれほどはっきりしていたと言えるのか。少なくともこうした調査が教育の実態をある程度反映していたと見るかぎり、「教育の機会均等の趣旨の実現のためにも、適切なへき

表1－4　小学校の年間最低授業時数

区　　分	第1学年	第2学年	第3学年	第4学年	第5学年	第6学年
計	816(24)	875(25)	945(27)	1015(29)	1085(31)	1085(31)
各教科						
国　語	238(7)	315(9)	280(8)	280(8)	245(7)	245(7)
社　会	68(2)	70(2)	105(3)	140(4)	140(4)	140(4)
算　数	102(3)	140(4)	175(5)	210(6)	210(6)	210(6)
理　科	68(2)	70(2)	105(3)	105(3)	140(4)	140(4)
音　楽	102(3)	70(2)	70(2)	70(2)	70(2)	70(2)
図画工作	102(3)	70(2)	70(2)	70(2)	70(2)	70(2)
家　庭	—	—	—	—	70(2)	70(2)
体　育	102(3)	105(3)	105(3)	105(3)	105(3)	105(3)
道　徳	34(1)	35(1)	35(1)	35(1)	35(1)	35(1)

注：1　この表の授業時数の1単位時数は、45分とする。
　　2　（　）内の授業時数は、年間授業日数を35週（第1学年については34週）とした場合における週あたりの平均授業時数とする。

表1－5　中学校の年間最低授業時数

区　　分	第1学年	第2学年	第3学年
必修教科			
国　語	175(5)	140(4)	175(5)
社　会	140(4)	175(5)	140(4)
数　学	140(4)	140(4)	105(3)
理　科	140(4)	140(4)	140(4)
音　楽	70(2)	70(2)	35(1)
美　術	70(2)	35(1)	35(1)
保健体育	105(3)	105(3)	105(3)
技術・家庭	105(3)	105(3)	105(3)
選択教科			
外国語	105(3)	105(3)	105(3)
農　業	70(2)	70(2)	70(2)
工　業	70(2)	70(2)	70(2)
商　業	70(2)	70(2)	70(2)
水　産	70(2)	70(2)	70(2)
家　庭	70(2)	70(2)	70(2)
数　学	—	—	70(2)
音　楽	35(1)	35(1)	35(1)
美　術	35(1)	35(1)	35(1)
道　徳	35(1)	35(1)	35(1)
特別教育活動	35(1)	35(1)	35(1)

注：1　この表の授業時数の1単位時数は、50分とする。
　　2　（　）内の授業時数は、年間授業日数を35週とした場合における週あたりの平均授業時数とする。
　　3　中学校の各学年における必修教科、選択教科、道徳および特別教育活動の授業時数の計は、1120を下ってはならない。

地教育振興策の必要を痛感せられる」と指摘した報告書が、どれだけ「民主教育」からの逸脱や反動であったのか。この問題は、それほど自明なことではない。「教育の機会均等の趣旨の実現」こそ、民主教育の基盤づくりだと、当時の教育行政当局は考えていたからである。そして、ここに私たちは、「白黒」のはっきりした二分法的発想では見逃してしまう、戦後日本の平等神話の基底へとつづく鉱脈への入り口を発見するのである。

3 左右の対立を超えた問題認識

新教育と学習離れ

一九五八年より少しばかり時間をさかのぼれば、実は文部省も日教組も、戦後出発した教育の問題がどこにあるかをめぐっては、それほど異なる認識に立っているわけではなかった。つまり、政治状況の五五年体制が明確になる以前には、日本の教育の実態把握という点で、日教組も、先に見た文部省と問題認識が鋭く対立していたわけではなかったのである。

一九五〇年に日教組は、『ありのままの日本教育』という報告書を発表した。この日教組報告の興味深い点は、戦後の「新教育」について、先にみた一九五八年の学習指導要領改訂時の見解とは異なる見方を示していたことである。

この報告書には、日教組が東京で実施した、国語と算数の学力調査の結果が報告されている。そこにおいて、学習離れの実態を反映するものとして、読み書き算を中心に、「学力」の実態が調べられている。この学力調査の結果について、『ありのままの日本教育』はつぎのように記している。

この調査の結果は、一体何をわれわれにしらせているものだろうか。まず第一に子供達の知識の貧困、言い換えれば学力の低下が、世間で問題にされるのも無理はないと考えても差し支えないということである。(日教組一九五〇、三二頁)

さらに、この調査にあたった関係者は、当時の教育環境の悪化と学力の低下について、つぎのような認識を持っていた。

二部授業が行われるようになれば、朝の間の子供達の生活は規則のないダラダラした風になるだろうし、宿題がなくなれば、勉強はしなくてもよいものと決めてしまうだろう。世間が、子供達の学力のことで、大騒ぎしていようと、先生達が、新教育論争で、日をくらしていようと、それが大人達の世界で行われている限り、子供達の間では、問題にもならない。

以前ほど、宿題がなくなった子供達は、ちょうど春先の芽生えのように、彼等の興味のおもむくままに、何でも吸収し、大人達が知らぬ間に知りたいことをつぎつぎとおぼえてゆく。

しかし、大人達は、子供のことでは、やはり熟達した園芸家でなければならない。徒《ただ》長くした枝はドン〱切り落とし、季節々々には肥料を与え、張らすべき根は、十分張らせて置かねばならぬ。

野放しのままの子供達は、ちょうど、手入れのよくない果樹のように貧弱な稔《みの》りしかできないか、全く無収穫で終わってしまうものである。

子供達の生活が、まだ、直接経験の世界に踏みとどまっているうちはよいが、彼等にも、やがて、生活の限りない広がりと、複雑さの中に、その真の意味をさぐり出さねばならぬ時がくる。その時、彼等のために未知の世界への架け橋となるもの、それは文字にほかならない。（中略）

もし、それらの基礎知識が、しっかりとつかまれていないなら、新しい知識を吸い上げる機能はとまり、子供達の生活を理解する力は、その生長をやめ、遂に、将来、社会に生きていく力さえ、奪い去られる場合もできてくる。（日教組一九五〇、二八頁）

午前と午後とに分かれて授業を行なう「二部授業の実施」とあるように、教育環境の客観的な状況も悪化していた。同時に、戦後の「新教育」運動のまっただなかでもあった。アメリカ流の子ども中心主義の教育が入ってきた中で、教師が宿題を出すことも少なくなり、子どもたちは「宿題がなくなれば、勉強はしなくてもよいものと決めてしま」う。「野放しのままの子供達は、ちょうど、手入れのよくない果樹のように貧弱な稔りしかできないか、全く無収穫で終わってしまう」と、危惧《きぐ》されている。アメリカの「新しい教育の考え方」の多大な影響を受けた「新教育」について、当時の日教組にしても、学習に向けた学校側の要求の弱体化が、子どもの「野放し」状態を導き、その結果として学習離れと基礎的知識の欠如をもたらすであろうことを懸念していたのである。ここには、先に見た、学習指導要領の改訂の理由を説明した文部省の問題認識と共通する見解が示されている。日本の政治・経済の大転換＝逆コースが顕在化する以前の段階で、こと教育の実態だけに限ってみれば、日教組も教育条件の悪化や「新教育」の問題点を共有していたということである。

さらに、東京という一地域での調査であったが、そこには地域間の教育条件や子どもが育つ家庭環境の違いが学力に及ぼす影響についても分析が行なわれていた（図1－2）。そして、その結果について、『ありのままの日本教育』では、つぎのようにまとめられている。

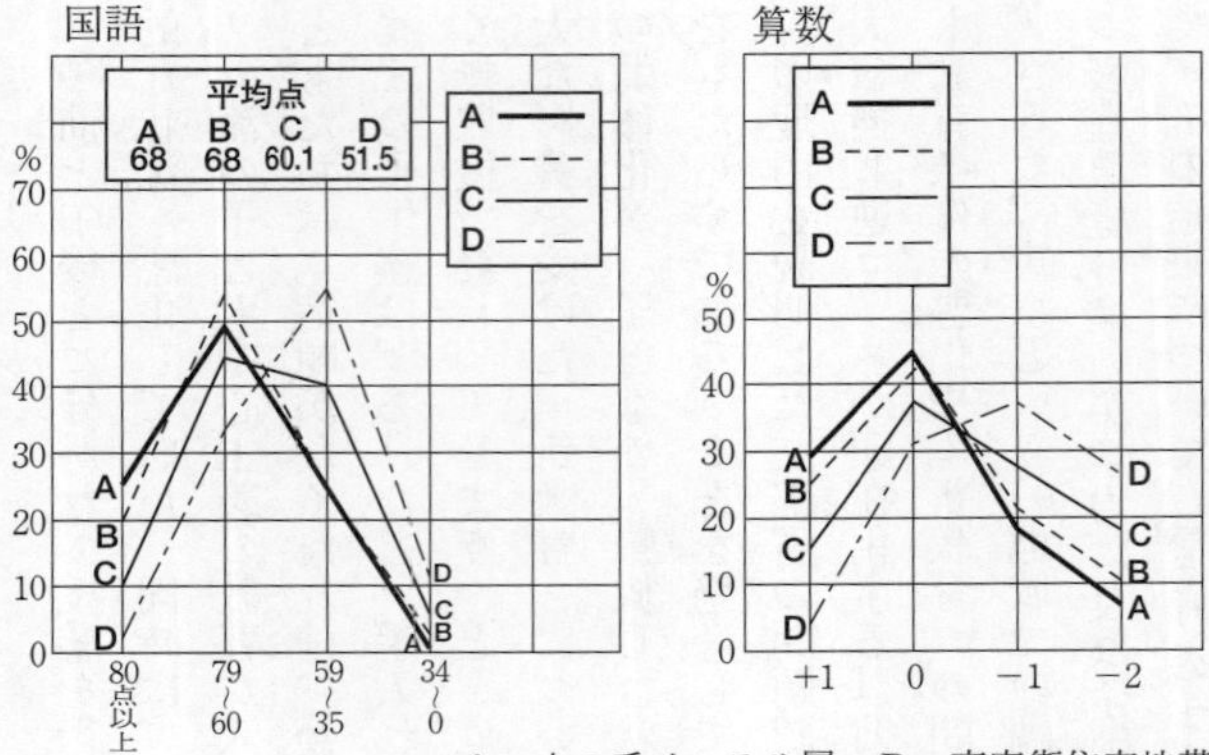

A. 山の手インテリ層　B. 商店街住宅地帯
C. 下町・工場地帯　D. 農村

図1－2　地域別による成績（1949年10月20日、日教組調査）

やや長くなるが、重要な資料なので引用する。

成績の良かった、A、B地区と、良くなかったC、D地区の間には、父兄の経済力の上に大きな相違がある。その結果、子供達に与えられた住居条件の上にも、一世帯の家計を支えるために働く人の数の多少の上にも、大きな相違をきたしている。

そして、これらの一切を含めての生活環境が、子供達の生活態度の上に影響を与えていることは、今までの説明によらなくても明らかである。このように経済力の相違は、同時に、文化程度、教育への関心度の相違となり、これらのことが何らかのかたちで作用して、子供達の学力上の相違となってあらわれてきたことは、今度の調査の結果がよくあらわしていると思う。

つぎに考えられる直接的な原因は、ＡＢ地区と、ＣＤ地区の子供達の間に与えられた教育環境の相違である。

たとえば、Ａ、Ｂ地区においては、学歴の低い、若い、教育経験の浅い教師の割合は、Ｃ、Ｄ地区よりはもちろん、全国平均よりも、ずっと少ない。一方Ｃ、Ｄ地区、殊にＣ地区では、その反対の条件が全部そろっている。（日教組一九五〇、三六頁）

「父兄の経済力」の相違を反映した家庭と地域社会の「生活環境」の差異が、学力の差異に反映している。そこには、「教育経験の浅い」教員という人的資源の差異も反映している。ここでは一部図表を省略したが、これらの事実も報告書ではデータを示して確認されている。これらをふまえ、報告書は、こうした学力の差異について、つぎのような結論を下す。

子供達の学力の問題について、今までのことから、結論として知り得たことは、父兄の経済力、子供達に与えられた教育環境文化環境が、決定的な影響力をもつということであるし、いいかえれば、現在の学力低下現象は、前に挙げたような諸条件を悪化させる要因が、現在の社会で強く働いていることに起因するということである。

なお、これらの諸条件を悪化させているものが何であるかについては、後で、教育財政の項でふれられるだろうから、ここでは、これ以上は述べないことにする。

しかし、ここでなお、くりかえしたいことは、異なった教育環境も、文化環境も、結局は、父兄又はその地区の、経済力の相違によって起こるものであるということである。このことは、端的には、学校へ行くための経費の相違が、同時に教育環境の相違と対応していることにも現れているし、都市と田舎の文化環境の相違も、結局はこの二つの地区の経済力の相違が生み出したものに過ぎないといっても過言ではないのである。

このように考えを進めてくれば、子供達に与えられた経済的諸条件の相違こそ、学力決定の、根本的原因だということがわかる。

もちろん、今日世間で問題にされているように新しい教育方法が、学力低下の上に大きな力となって働いていることは確かめ得る。しかし、もし、新しい教育方法もその方法を生み出したアメリカと同程度の経済力を、今日吾《わ》が国が持っていたと仮定すれば、その結果が現在のような姿をとって現れたかどうかは疑問があるし、今度の調査の結果だけに限定しても、A、B地区の教員構成の下での新教育と、C、D地区の教員構成の下でのそれとでは、その結果には大きな開きが表れてくることは想像され得ることで、ここにも経済力の相違ということが決定的に響いてきている。

われわれは、子供達の学力を問題にする場合、これをただ教育の方法論の問題に限定して、その原因を求めていくという方法を、以上のような意味で、反対しなければならない。このような方法からは、結局、教育方式の流行を追い回すといった、今までの吾が国の教育界の愚行を繰返すことになるだけだし、なおその上に、教育施設面の改良を怠った当局の責任をボヤケさせることになるので、そこからはなんら教育界再建の端緒を見出すことはできないといい得るからである。われわれは、この問題を解明するために、もっともっと視界を広げていかねばならない。今度のような狭い範囲でなく、さらに調査の手を拡げて行き、それによって今度見出したものよりも、もっと確実な原因と、その対策を見出していかねばならない。そこから教育を、より大衆化しより平等化し、より高めていく道が見出され得るからである。（日教組一九五〇、三六頁）

この箇所を読むと、日教組の側では、アメリカ流の「新しい教育方法」を全否定しているわけではないことがわかる。むしろ、教育財政の点でも、教員構成の点でも、劣悪な教育環境を是正するために、「もし」「アメリカと同程度の経済力」を、「今日吾が国が持っていたと仮定すれば、その結果が現在のような姿をとって現れたかどうかは疑問がある」とあるように、教育条件とのミスマッチに言及していたのである。教育の方法としては正しいとしても、それを実現するまでに日本の教育は至っていない。「教育施設面の改良を怠った当局の責任」には言及がなされているが、経済力の欠如が教育条件の劣悪化と結びつき、それがアメリカ流の「新しい教育方法」の実行を難しくしているという認識が示されていた。条件整備の遅れを指摘し、「この新学制を完全に遂行するための施設の整備には多額の資金と物的資材を必要とし短年月にその整備を期することは困難」であると見ていた文部省の認識との差は思いの外少ない。

このように、政治における五五年体制の成立以前、左右対立の時代以前の段階では、教育の実態だけに限ってみれば、教育環境の劣悪さや、そのもとで理想主義的なアメリカ流の「新しい教育方法」を実施することの困難さの認識の点で、日教組も文部省も選ぶところはなかった。しかも、いずれの陣営も、経済力の差と結びついた教育条件の差異が学力の格差を生み出している重要な原因であるという問題設定においては共通していた。言い換えれば、教育条件の不整備という文脈の上に、教育課程や教育方法の問題点を位置づけてみると、両者の間には、一九五八年の学習指導要領の改訂時に見られたような大きな問題認識の差異はなかったのである。

教育格差をいかにして縮小するか

このように見ると、いくつかの疑問が浮かび上がる。なるほど、五八年段階になると、国家による統制の是非をめぐる対立が先鋭化していくことになるのだが、教育財政を含め、資源が不足していた時代に、はたして日教組が主張したように、「それぞれの地域の事情に応ずる」（五一年学習指導要領）教育によって、教育条件の差異を克服することができたのだろうか。国家の介入なしに、「教育を、より大衆化しより平等化し、より高めていく道」（日教組一九五〇、三六頁）が見出せたのだろうか。

さらにいえば、五〇年時点では、日教組も、「教育施設面の改良を怠った当局の責任」を追及する構えを見せていた。その責任を文部省が果たそうとする場合、はたして国が主導する教育の標準化と切り離して、それは可能だったのだろうか。あるいは、もしもそれが可能だとすれば、そこで行なわれた教育の標準化とはいかなるものになり得たのか。「それぞれの地域の事情に応ずる」教育の尊重と両立する形の教育条件の改善は、「教育施設面の改良」といった教育のハードウェア面だけで十分だったのか。

こうした疑問点を挙げることで論じたいのは、国の介入が不可避であったことを指摘することで、文部省の政策選択を正当化することでは毛頭ない。文部省と日教組という明確な対立図式のもとでさえ、日本の教育を標準化へと向かわせる力が、国による一方的な統制としてではなく、さまざまな力の合成として作動していた可能性はないのか、という問いを引き出したいのである。五〇年代初頭における日教組と文部省の共通認識として、教育の平等化が掲げられていた点、それを阻む主要因として、「経済力の相違」と結びついた「教育環境の相違」や、「教育経験の浅い」教員という人的資源の差異を含めた「劣悪な教育条件」の偏在といった問題を共有していたことを確認したのも、表面的な政治的対立図式を超えて、日本の教育界で広く共有されていた問題意識を抜き出し、明らかにするためであった。

ここから、当時の厳しい教育財政の制約のもとで、教育条件の差異はいかんともしがたい現実であり、それにいかに対処するかをめぐる手順や方法についての考え方の違いはあったとしても、その問題を放置したままでは、「教育を、より大衆化しより平等化し、より高めていく道」は見出せなかったという仮説を設定できるのである（註1）。よほどの資源がなければ、アメリカ流の分権化のもとで、これまたアメリカから導入された子ども中心主義の「新教育」が実りあるものとして結実するとは、日教組でさえ楽観していなかった。資源の乏しさと、否定しがたい地域間格差の問題——教育の標準化を進める合力を生み出す上で、戦後「民主教育」が掲げた理想の高さに比べ、あまりに貧弱な教育の実態が眼前にあったのではないか。

そのような当時の問題構成をとらえる上で、その頃の日本の教育界にはどのような共通の認識枠組みがあったのか。そして、そうした問題認識を支えるロジックはいかなるものだったのか。こうした問いに答えることを分析課題とすることで、戦後の日本で、どのような教育の標準化がいかに進められていったのかを明らかにできるはずである。

なるほど、政治的な対立を背景に、教育課程への国家統制を批判する言説は鮮明であった。しかし、それらの言葉の厳しさに比べ、全国の小中学校で五八年改訂の指導要領に反対する激しい運動が広範に巻き起こったという事実はない。六〇年代になるとカリキュラムの自主編制運動のようなことが言われるようになるが、多くの教師たちは、組合員であるか否かを問わず、新指導要領を基準に検定をパスした教科書を使い、新指導要領が提示した教科の標準時間にそった授業を行なった。そうした教師たちの動きが、国家の強制力にただただ服従したものだったと見るのは、あまりに政治的な読み込みが過ぎているだろう。

むしろ、「新教育」の問題点を共有する教師が全国に広く存在したから、政治的意味での激しい反対論の言辞とは別に、実際の学校現場においては、教育課程のスムーズな移行がなされたのではないか。そうだとすれば、教育の標準化を招き入れる土壌がどのようなものであったかを問うことが重要になる。上からの標準化に呼応し、それを受け入れた土壌いかんによって、教育の標準化がどのような特徴を帯びるのかも違ってくると考えられるからである。表面的な対立の構図よりも深いところで呼応しあった力の作用を取り出すことで、私たちは、教育の標準化の日本的展開を促したダイナミズムに迫ることができるのである。

さらに問題を展開すれば、はたして、当時の文部省や日教組が認識していたように、アメリカ流の「新教育」がうまくいかなかったのは、資源不足ということだけだったのだろうか。資源さえ十分にあれば、子ども中心主義の「新教育」は日本に根づいたのだろうか。

こうした問いが重要なのは、資源の多寡《たか》だけの問題ではなく、資源をいかに配分するかを決めるロジックと、そこで行なわれる教育実践を支えるロジックとの間の関係に目を向けたいからである。ただ、この点に関連してもう一つ言っておけば、標準性を高め、系統的な学習へと向かった五八年の学習指導要領の改訂は、その同じ年に制定された「義務教育標準法」とは実に相性の合うものだったということである。一学級平均五〇人を超える教室で行なわれる学習のあり方を規定したのが前者であり、そのような「学級規模」を単位に、教育資源の配分の仕組みを規定したのが後者だからである。教育の標準化のあり方を決める制度の枠組みが、ともに一九五八年に誕生したこれら二つの制度だったのである。

両者はどのようなロジックを共有していたのか。それが、教育の標準化の日本的展開を決めることになるのだが、そうした日本的展開の特徴を明らかにするためには、時間をさらにさかのぼって、戦前期の日本と、二〇世紀初頭のアメリカとに目を向ける必要がある。戦後〈システム〉の設計図を書き上げる上での源流が、これら二つの歴史にあると考えるからである。

註

1、地域間の教育格差を均した上で現れる、この「教育を、より大衆化しより平等化し、より高めていく道」こそ、大衆教育社会の生成にほかならない。

第二章　戦前のトラウマと源流としてのアメリカ

　戦後出発した新たな教育が、高邁《こうまい》な理想に導かれたものであったことは言を俟《ま》たない。しかも、その理想の多くは、教育においては、戦前的なるものの否定の上に成り立っていた。にもかかわらず、皮肉なことに、その理想を実現するための土台は、校舎のような物的な資源においても、教員や教育行政担当者といった人的な資源においても、戦前から残されたものを引き継がざるを得なかった。しかも、戦争によって、その多くは大きな損傷を負い、財政的にも人的にも物的にも、欠乏のなかで新しい教育が始まった。

　前章でみたように、当時の文部省も日教組も共有していた、教育の地域間格差という問題は、そうした欠乏がどのような具体的な問題として表出するかを媒介する根源的な問題の一つであり、戦前から引き継がれた慣性《イナーシャ》の一つであった。清算すべき負の遺産であったと言ってもよい。それをいかに克服するか。その克服の仕方が、その後の教育の標準化のありようを特徴づけることになるのだが、その前に、まずはそれがいかなる問題であったのか、その実態を見ておく必要がある。戦後日本の平等を実現するために動き出す〈システム〉の設計図を理解するためには、解決すべき問題の実態を解明しておくことが不可欠の作業だと考えるからである。それは、戦後教育の標準化を進める際の、問題認識の原点までさかのぼって、「歴史」をとらえ直す試みである。

そのために、この章の前半では、戦前期の教育財政の仕組みとその問題点を検討の俎上《そじょう》にのせる。「負の遺産」の実態を明らかにしておくことで、その克服の困難さを浮かび上がらせる試みである。

1　戦前の教育費配分

困窮する地方財政

戦前期の日本の教育は、義務教育費の負担をめぐって、それを市町村に任せるのか、あるいは、国による何らかの財政的な支援（国庫負担）をするのかという重大な選択の問題を抱えていた。しかも、大正時代の終わりに至るまで、義務教育を含む公教育費全体のうち、ほとんどは市町村が負担するものだった。ここに掲げた表2－1から明らかなように、国による負担が半額近くにまで上昇するには、一九五〇年代後半まで待たなければならなかった。しかも教育費は、市町村の行財政全体にとっても大きな比重を占めるものであった（表2-2）。それだけに、地方の財政力の弱さがそのまま教育財政の弱さに直結する、そういう財政構造が長年続いたのである。

表2-1　公教育費の国・地方の負担区分

年度	国の負担した教育費	地方の負担した教育費		
		計	県	市町村
明治14(1881)	10.2%	89.8%	14.3%	75.5%
18(1885)	9.5	90.5	11.2	79.3
23(1890)	9.7	90.3	12.4	77.9
28(1895)	11.2	88.8	13.2	75.6
33(1900)	14.2	85.8	21.6	64.2
38(1905)	13.2	86.8	21.2	65.7
43(1910)	10.6	89.4	18.5	70.9
大正4(1915)	11.7	88.3	19.0	69.3
9(1920)	14.7	85.3	18.5	66.8
14(1925)	22.7	77.3	20.9	56.4
昭和5(1930)	31.6	68.4	23.4	45.0
10(1935)	30.4	69.6	20.7	48.9
15(1940)	40.3	59.7	29.7	30.0
25(1950)	46.3	53.7	26.0	27.7
30(1955)	47.2	52.8	30.5	22.8
35(1960)	48.4	51.6	30.3	21.3

出典：『日本の成長と教育』昭和37年文部省、表37より。

表2-2　国・地方の行政費に占める公教育費の比率

年度	国	県	市町村
明治14(1881)	1.2%	7.3%	41.1%
18(1885)	1.7	6.7	66.2
23(1890)	1.1	5.7	35.3
28(1895)	1.9	7.6	32.4
33(1900)	2.0	17.2	32.8
38(1905)	1.3	19.1	32.1
43(1910)	1.6	18.4	30.6
大正4(1915)	1.8	17.0	29.3
9(1920)	2.8	19.7	31.5
14(1925)	6.6	23.4	28.7
昭和5(1930)	9.2	23.3	22.8
10(1935)	6.8	12.7	22.3
15(1940)	1.8	25.1	13.8
25(1950)	13.5	28.7	26.5
30(1955)	22.8	21.4	20.6
35(1960)	21.5	31.1	22.5

出典：『日本の成長と教育』昭和37年文部省、表37より。

このような問題をどのように解決するか。義務教育費負担の歴史的経緯については、教育行政学の分野ですでにいくつかの優れた先行研究がある（小川一九九一、井深二〇〇四）。ここでは、これらの先行研究を参考にしながら、戦前期の義務教育費負担の歴史を簡単に振り返っておこう。

注目すべきは、一九一八（大正七）年に市町村義務教育費国庫負担制度が制定されたことである。これにより、市町村立小学校教員の給与の一部を国が「教育特定補助金」と「地方財政補給金」を通じて負担することとなった。それ以前には、義務教育費は市町村の負担であった。そのことを考えると、この制度の成立は、困窮する地方財政に対し、国が義務教育費のうち正・准《じゅん》教員の給与の一部を補助することにより、地方の負担を軽減することに主なねらいがあった。

そこでとられた算定方法は、半分は市町村立尋常小学校の正教員・准教員の合計数に比例して配分し、残りの半分は就学児童数に比例するものとした（井深二〇〇四、四八頁）。井深は、「基礎となる教員数から代用教員を除いたのは、教員の資質向上を図る」ためであったと指摘する（井深二〇〇四、四八頁）。また、「学齢児童数ではなく就学児童数としたのは、就学率の向上を図るものと言える」という（井深二〇〇四、四八頁）。

しかしながら、この制度は、困窮する地方財政の救済を第一義とするためのものであった。

後に見る戦後の制度やアメリカで検討された制度のように、教育条件の平等化や標準化を果たす機能はきわめて弱いものであったと言わなければならない。

しかも、一見些細《ささい》なことのように見えるが、この制度のもとでは、国による財政支出の対象として「代用教員」は含まれていなかったことも、こうした平等化政策としての弱さを示すものであった。それというのも、正教員が比較的多い地方＝比較的財政力のある地方にとっては、国による補助が一定の役割を果たすものの、正教員の少ない貧しい地域にとっては、この方式での国による財政補助のうまみは少なくなる。それゆえ、井深が指摘するように、「代用教員の比率は、財政的に困窮している町村ほど多いと見られることから、上記の比例配分の方法は、小学校教育の全国的な最低水準の確保や地方財政の救済を図る上では効果が薄い」(井深二〇〇四、四八頁)。それを少しでも補うために、「総額の一〇分の一を超えない範囲で、文部大臣が認定する『資力薄弱ナル町村』へ特に交付金額を増加しうるもの」(井深二〇〇四、四八頁)とする措置がとられたものの、その効果は地域間の教育格差を是正するものとしては不十分であった。あくまでも地方財政の救済という点に終始した補完的な制度であったといえる。

教育の機会均等と教育財政の仕組み

それでは、この制度のもとで、どのように教育費が配分されたのか。それを、文部省の行政官を務め、さらには東京帝国大学の教育学教授でもあった阿部重孝の研究をもとに検討してみよう（阿部一九三三＝一九七一）。阿部は、都道府県の教育格差を財政面、学級一人あたりの児童数、教員給与、正教員比率などのデータを用いて分析している。これらの数値をもとに、教育の財政面の格差が教育条件とどのように関係していたのかを、再分析してみるのである。

阿部の分析によれば、一九二八（昭和三）年において、公立学校に在籍する小学校児童一人あたりの小学校費を府県別に見ると、最高は東京府の六五円八一銭、最低は沖縄県の一七円二四銭と最高と最低との間には四倍近い格差があった。全国平均が三二円一〇銭であったから、東京府はその約二倍、沖縄はその半分であった。

しかも、このような府県間の格差は、府県の財政力と強い正の相関をもっていた。阿部の研究をもとに、縦軸に府県の財政力を示す直接国税調整済額（ただし、学齢児童一人あたりに換算）をとり、横軸に、児童一人あたり教育費をプロットしたのが図２－１である。両者の間には、〇・八一〇という強い正の相関が見られる。つまり、財政力の強い府県ほど、児童一人あたりにより多くの教育費をかけていたのである。なるほど、市町村義務教育費国庫負担制度が制定されたとはいえ、地域間の教育財政の平等化を図るという効果が弱かったこと

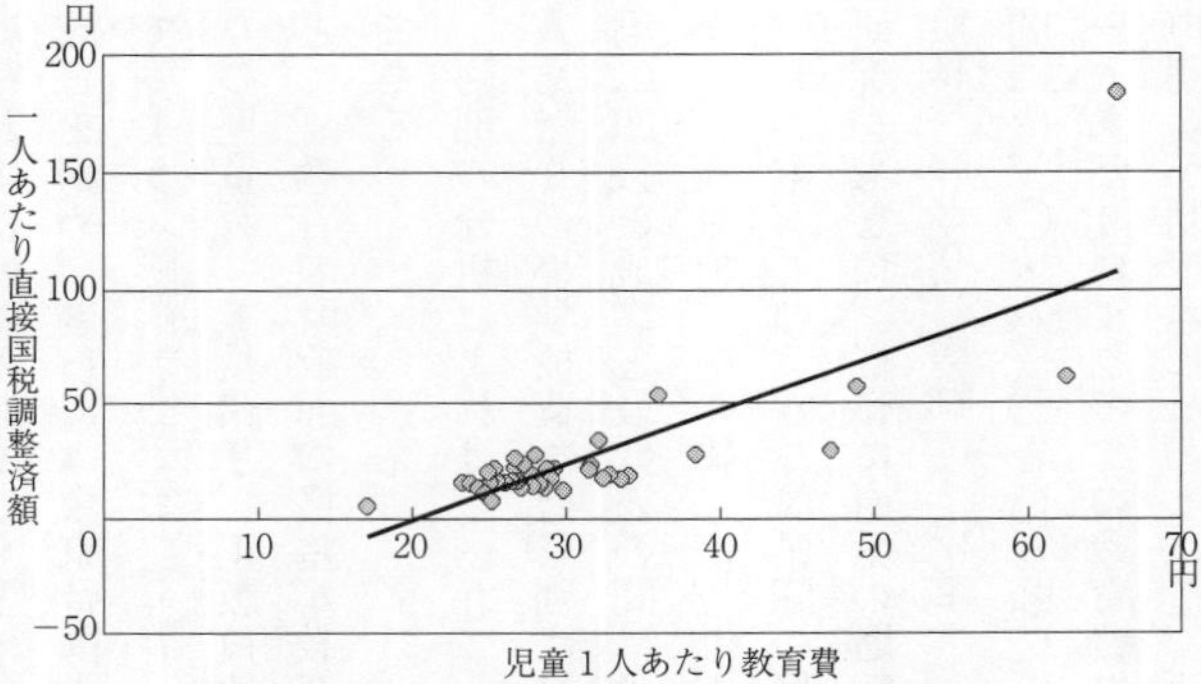

図2－1　地方の財政力と児童1人あたり教育費（1928年）

は、この図から一目瞭然《りょうぜん》である。

しかも、このような財政力格差と結びついた教育費の配分は、教育条件の格差とも連動するものであった。それを見るために、児童一人あたり教育費と正教員比を示したのが図2－2である（相関係数は〇・三五八）。この図から明らかなように、教育費の少ない県ほど、正教員比が低くなる（代用教員の割合が高くなる）という関係を見出すことができる。具体的な数字をあげれば、北海道（六九・四％）、青森（七六・一％）、群馬（七八・七％）、福島（七九％）など、正教員比率が八割に満たない県の多くは、いずれも一人あたり教育費が全国平均の三〇・三円以下の県であった。

また、児童一人あたり教育費と教員給与の平均額との間にも明確な関係があった。つぎの図2－3に示すように、教育費の少ない県ほど、その県の小学校教員の給与水準も低いという関係がみられたのである（相

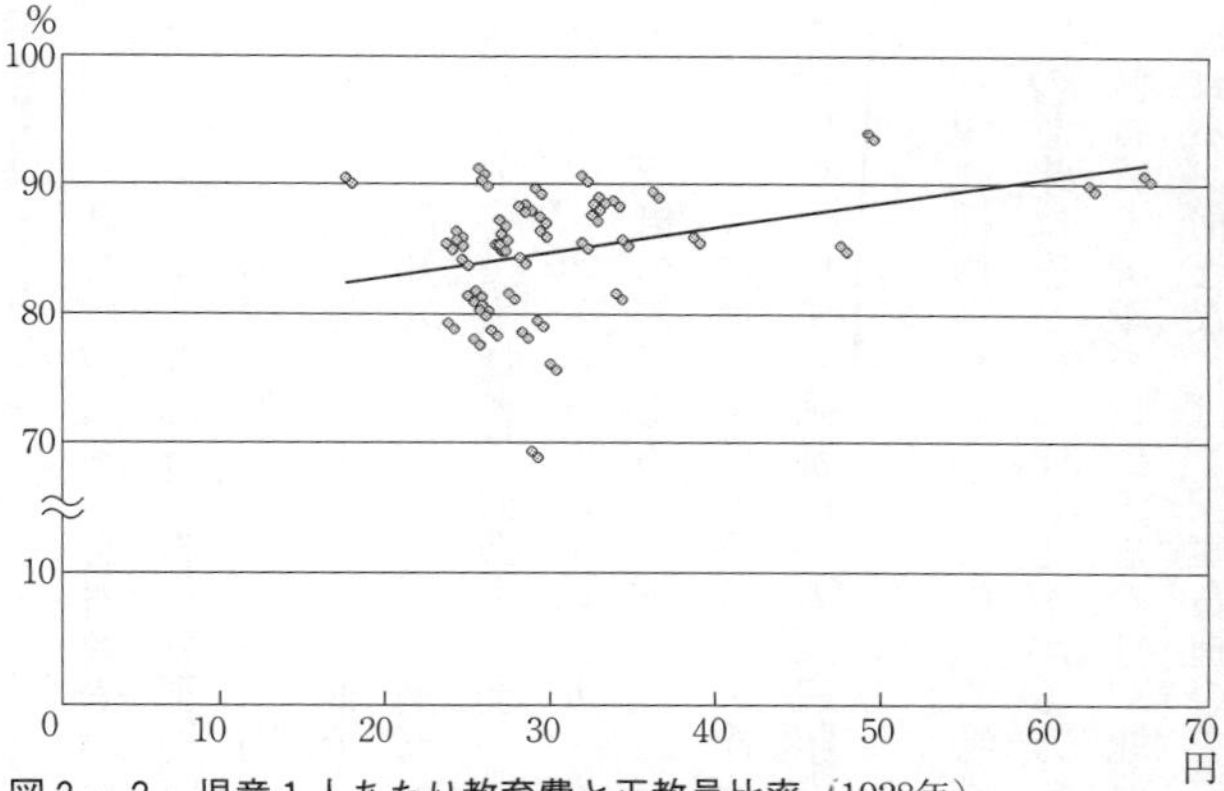

図2－2　児童1人あたり教育費と正教員比率（1928年）

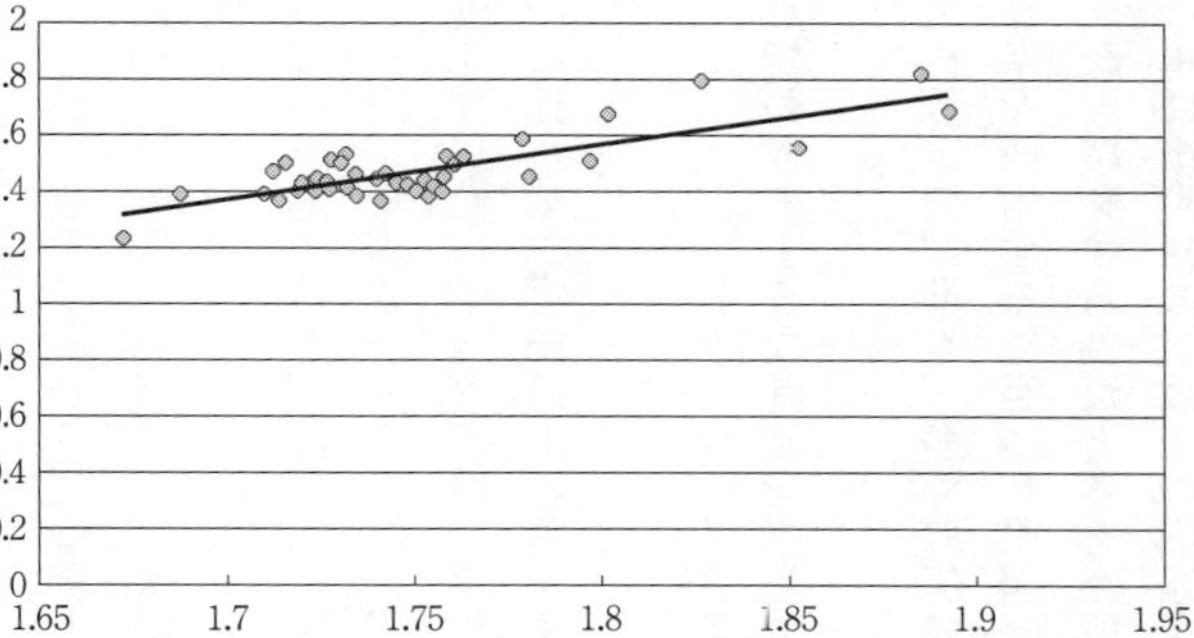

図2－3　児童1人あたり教育費と教員給与（1928年）対数変換

関係数は〇・七六(二)。

図2-3では教員給与を対数表示してあるが、金額で示せば、つぎのような関係を見ることができる。すなわち、教員の平均俸給額の上位五県をあげると、大阪府七八・〇一円、東京七六・七六円、兵庫七一・一二円、京都六七・〇四円、神奈川六三・三四円といった大都市圏を含む府県が占めていた。他方、下位五県をあげると、沖縄四七・〇一円、岩手四八・六九円、高知五一・三〇円、福島五一・三一円、青森五一・五二円と、いずれも農業県で、現在においても比較的財政力の弱い県が並んでいた。トップ五県の平均をとると七一・二五円となり、ボトム五県の平均四九・九七円に比べて二〇円以上の差がある。割合にすれば、一・四三倍の差である。

このように教育条件の平等化・標準化という点では限界のあった市町村義務教育費国庫負担制度について、阿部は一九三三年の時点でつぎのような評価を下している。

現在採用されている分配法も特別市町村認定の標準も、多くは伝統的であって、教育的の意味は乏しい。而《しか》してかかる方法や標準を採用するに至った原因は、従来我国に於《おい》て、教育費を国庫で負担するのは、地方の財政を緩和する為だと考えた所に存する如く解せられる。何となれば、国庫負担金を以《もっ》て、単に市町村の財政上の困難を緩和するものと解し、教育の機会均等を問題としないならば、現在の配分法にも、又特別市町村認定の標準にも、なお満足しうるからである。又この考（え）方は、小学校を設置維持する責任は市町村にありとし、国家は之に財政的の援助を与えることがあっても、結局する所は、国家には直接の財政的責任はないとする伝統的見地を示すものである。（阿部一九三三＝一九七一、一八六頁）

国庫負担金の分配を公平にし、市町村の教育的必要を満たす為には、現行法の部分的改正を以て、その目的を達することは、極めて困難である。さらばといって、之に代わるべき提案を具体的に示すことは亦《また》容易でない。（阿部一九三三＝一九七一、一八六頁）

こうした阿部の主張からうかがえるのは、「戦前においては、教育の機会均等が一般的な教育財政原則として制度化されることはなかった」（井深二〇〇四、二六頁）という事実である。阿部が指摘するように、「国庫負担金を以て、単に市町村の財政上の困難を緩和するものと解し、教育の機会均等を問題としない」。したがって、この制度のもとでは、「教育の機会均等」はとうてい実現できないと考えられていたのである。もっとも、すでに一九三三年の時点で阿部が、教育の財政配分の問題を「教育の機会均等」と関連づけて論じていたことは強調しておくに値する。後に見るように、アメリカにおける教育財政の議論とそれほど時を隔てずに、教育の機会均等と教育財政の仕組みとを結びつける発想が日本において現われていたことを示す資料だからである。

教員処遇の格差

とはいえ、阿部自身が悲観的に見ていたように、戦前期の国庫負担金制度は、教育の機会均等の実現からは程遠いものであったことも動かしがたい事実である。そのことを別の面から示す資料がある。この制度の限界を乗り越えるための政策として、文部省は「市町村立小学校教員俸給道府県負担に就いて」(文部省普通学務局、一九三六年八月)という文書を一九三六年に出し、そこで、市町村教員の俸給を市町村の負担から道府県負担にすることの提案が行なわれている(この提言は一九四〇年に実現する)。つまり、国による負担の残りの分は、市町村ではなく県が負担すべきだという提案である。そこには、是正されるべきものとして、当時の教育条件の地域格差の状況がつぎのように述べられていた。

(県費負担にすれば——引用者註) 教員の異動並びに配置を円滑にし、適材を適所に配置せしむることが出来る。従来教員の異動をなすに当り、地方長官は教育上の見地から之《これ》を計画するのであるが、市町村の俸給予算に拘束せられ、十分其《そ》の意図を実現し得ない場合が少なくない、殊《こと》に疲弊せる町村にありては、教育上また町村の発展上特に優良の教員を必要とするにも拘《かか》わらず、却《かえ》って教員の資質よりも寧《むし》ろ俸給支出額の少ないことを望み、其の結果、優良なる指導者が漸次他に転出し、教育の効果が著しく減殺されつゝあるのではないかと思われる。（井深二〇〇四、二〇二頁より引用）

現在の教員の待遇は、地域的に見て甚だしい懸隔《けんかく》を生じ、師範学校を同時に卒業したる者も、経費潤沢《じゅんたく》なる都市に在職すると、経費貧弱なる山間僻地に在職するとにより、十年ならずして其の待遇に著しい相違を生ずることは、各地に於いてよく其の実例を見るところである。（中略）其の逕庭《けいてい》あまりに太《はなは》だしいときは自然に優良教員を都市に集中せしむること丶なり、延《ひ》いては国民教育の効果に差等を生ぜしめる原因ともなるのである。（井深二〇〇四、二〇三頁より引用）

俸給の支払延滞は近時其の数を減少しつ丶あるのではあるが、未だ本年六月末日現在に於て、其の町村六百八十一ヶ町村、未払金額七十七万六千余円に達している現状である。（井深二〇〇四、二〇三頁より引用）

これらの資料からもわかるように、ここで提案された制度が実現できれば、「教員の待遇を、都鄙《とひ》何《いず》れの地に在職するも、ある程度まで均質ならしむことが出来る」だろうという期待が述べられていた。このような期待の裏返しは、それとは程遠い現実であった。つまり、戦前期においては、地方間の教員俸給の差が大きいことが、教員の異動を妨げる障碍《しょうがい》となっていたのである。そのために、地域間で教育の質の均等化を図る、現在で言うところの教員の広域人事を実施するには困難が伴った。それゆえ、教員処遇の差は、「国民教育の効果に差等を生ぜしめる原因」と見なされていた。これらを裏返してみれば、義務教育の財政的な格差を縮小し、教員への処遇の差異を是正することが、「国民教育の効果」の「差」を縮小することになると考えられていたのである。

こうした地域間の財政力と教育条件との強い関係を物語るエピソードが残っている。一九三一（昭和六）年の愛知県幡豆《はず》郡豊坂《とよさか》村（現額田《ぬかた》郡幸田《こうた》町）での出来事である。世界恐慌の影響を受け、財政難に陥った幡豆郡では小学校教員の減俸措置が行なわれたほか、教員の配置換えにおいても影響が出ていた。この村の小学校教員の生活誌を追った石川辰彦は、その日記からつぎのような記録を採取している。

うっかりしていると首があぶなくなる。小学校教員も実に憐《あわ》れなものになってしまった。民衆の力はとうてい小学校教員位では如何《いかん》ともすることが出来ない。実際に自分の生活が出来なくなる様な事だ。（幡豆郡内の町村会の二割減俸要求に対して）小学校教員の実に受難時代である。私も何時《いつ》までも現在の職業に居られなくなった。何とか将来の進むべき道を今から考えなくてはならぬ。（石川一九八一、四〇四頁）

この手記の引用の後に、石川はつぎのようにそのときの状況を活写している。

この年、校長及び小本科生教員が転任、尋本科生教員が退職し、後任には新校長の他、若い女性本科生教員一名が着任したにとどまる。昭和初期、経済的には比較的安定していたものの、その身を村財政にゆだねていた教員は不況時には辞令一本で転勤となったのである。（石川一九八一、四〇四頁）

阿部重孝が憂慮していたように、市町村費にゆだねられていた戦前期の義務教育教職員費の脆弱《ぜいじゃく》な構造は、財政力の弱い地域ほど、市町村といった小さな範域において、雇用できる教員の質と量とを左右していた。戦後以上に教育への国家統制が強いと見なされていた戦前期においても、義務教育を支える資源配分の構造は貧弱きわまりなかったし、阿部が夢見た「教育機会の均等」の理想からは、遠く離れた現実が戦前期の教育を支配していたのである。

2 解決の方途

教員単位（teacher unit）

ところで前述の文章の中で阿部は、自らの分析をふまえて、当時の国庫負担制度の問題点をつぎのように指摘し、代案として、「教員単位（teacher unit）」に基づく配分法を提案している。これは、「一人の教員に配当される一定数の日々出席児童平均数を定めることによって算出される」（阿部一九三三＝一九七一、一八三頁）配分方式の提案である。

例えば、教員毎《ごと》一人に対し日々出席児童平均数四〇人を標準とする場合には、各市町村の日々出席児童平均数を四〇で除すことに依《よ》って、各市町村の教員単位を決定することが出来る。而して国庫負担金の分配に於ては、市町村の教員現数によらず、教員単位数を基盤として配分するのである。かくすることに依って、教員数を不当に増加して、不当に多額の分配金にあずからんとする企てを阻止することができるばかりでなく、経費不足の為、

教員をして過大の学級を担任させる地方の困難を緩和することが出来る。（阿部一九三三＝一九七一、一八三頁）

ここで阿部が提唱している「教員単位（teacher unit）」の考え方は、英訳が付されていることからも推察できるように、当時のアメリカにおいて財政の地域間格差を是正するために議論されていた配分原理（公式）の重要な変数の一つであった。ここには、教育の標準化をめざす強い指向性が示されている。従来のように「市町村の教員現数」にしたがって分配金を設定するだけでは、たとえ国による財政支出が実現したとしても、教育の標準化にも「教育の機会均等」にもつながらない。地域間の格差を縮小するためには、国がお金を出すだけではなく、お金を配る仕組み自体を変えなければならない。そのために、教員一人あたりの日々出席児童数を用いるこの考え方は、標準的な教員の教育負担をとらえようとする発想である。このような方式で必要教員数が算出できれば、それをもとに、教員の人件費の計算が可能になる。そして、それに見合った人件費を国が配分することによって、教育の標準化を図ることができる。このように、教員の教育労働の標準化を可能にする教育資源の配分方式が提唱されていたのである。ここには、「教育の機会均等」を教育労働の標準化と結びつけ、さらには、それを支える財政基盤を準備することで、「教育機会の均等」を実現しようとする発想が示されていた。

一九三三（昭和八）年という時点で、こうした考え方が日本で紹介されていたことは重要な意味をもつ。それというのも、これより二、三十年くらい年月をさかのぼったときに、教育機会の平等という目標との関係において、アメリカでもこうした議論が始まったばかりだったからである。しかも一九三三年という年は、世界大恐慌の直後に、学区の財政危機の中で、アメリカにおいて教育財政の見直し論議が盛んに行なわれていた時期とも重なる。阿部の主張は、まさにそれと同時代の出来事であった。アメリカとほぼ同様の問題を当時の日本も抱えていたということであり、その解決のために、アメリカの最新の情報が阿部を通じて当時の文部省をはじめとする日本の教育界に紹介されていたのである。

しかも、この阿部の提案は、その後一九五〇年代に制度化された義務教育費国庫負担制度と標準法との組み合わせによる分配方式に近いものでもあった。その詳細は次章で検討するが、その後の戦前期の制度の変化を簡単に振り返っておけばつぎのようになる。

世界恐慌や軍事費の急増などの影響を受け、地方財政が危機に瀕《ひん》すると、一九四〇（昭和十五）年には「義務教育費国庫負担法」が制定された。この法律によって、義務教育の教員給与の分担は、市町村を中心に国が一部を支払う形から、道府県と国とが半分ずつを担う形へと変更された。先に見た文部省の提言が実現したということである。ところが、この制度は、戦時下の厳しい財政事情のもとで、有効に働いたとはいえぬまま、敗戦を迎えることとなった。そして、「負の遺産」は戦後に引き継がれることとなったのである。

学制発布以来最大の問題

このように残された課題について、戦前には朝鮮総督府の官僚であり、戦後は文部官僚を務めた天城《あまぎ》勲《いさお》（後に文部事務次官）はつぎのように語っている。

教員の給与というのは、明治の学制発布以来、地方財政の最大の問題なんです。『地方財政史』というのを、ご覧になればわかると思うんですが、地方財政の最大の問題は、ずっと教員給与です。どこで、それを負担するか、どうやって教員の水準を保持するかと言うことが教育政策と地方財政の最大の問題で、さまざまな歴史があるんです。簡単に言うと、市町村で払っていたのでは払いきれないし、格差が生じる。義務教育の学校は市町村が建てても、義務教育の教員の給与は府県で負担しよう、と。ところが、その府県にも貧富の差がありまして、教員の給与に格差が出てくる。結局、国で面倒をみなければいけないのではないか、と。それで、長い間の議論の末、昭和十五年に義務教育費国庫負担制度というものができたわけです。二分の一を国で負担する。／そういう状況だったんですが、戦後は、そのほかに「盲聾」も義務制になったんですね。(中略)それで、どうしても文部省としては、義務教育費国庫負担法による国の半額負担の、中身の充実を図りたい、と。(天城二〇〇二、一二七頁)

戦後の文部省にとって、「学制発布以来」の課題をいかに解決するか。次章で見る教育財政の制度化に向けた動きは、まさに戦前から引き継がれた課題への取り組みであった。その嚆矢に、前述の阿部の提案があったのである。もちろん、詳しく見ていけば、戦後の制度のほうが、この提案より細かな設定が行なわれている。また、財源不足を理由に暫定的な措置がとられてはいる。天城の証言から明らかになるのは、戦後の文部官僚にとっても、いや、戦後になったからこそ、阿部が戦前に掲げた「教育の機会均等を問題」にすることは、憲法や教育基本法によって正当化された重要な政策課題だったのである。その理想を制度化していく時代が、戦後とともにはじまる。それはまた、戦後日本の教育が平等を目指した〈システム〉をつくり上げていく過程でもあった。その設計図を構想する前提として、戦前からの負の遺産とその解決をめぐる議論が、制度設計の思想に刻印を残していたのである。

3　アメリカの源流――科学的経営革命

世紀の変わり目

つぎに、アメリカにおける教育財政論議の歴史を見ておきたい。阿部重孝も言及していた、「教員単位」を含めたアメリカにおける教育財政論議の歴史を一瞥《いちべつ》することで、その後の日本的展開の特徴が際立って見えてくるからである。

これまでの研究によれば（Johns and Jordan〈1972〉, Grubb and Michelson〈1974〉, Burke〈1951〉）、アメリカにおいて公立学校への教育財政の議論が盛んになるのは、二〇世紀初頭からである。アメリカでは、もともと教育はタウンシップと呼ばれる小さな自治体の事業として発展してきた。その後、学校区（school district）制度ができあがった後も、公教育費の大部分は、連邦政府でも州政府でもなく、「地域（local community）」がまかなっていた。その大きな部分を占める人件費についても、大まかに言えば、それぞれの地域にある学校の教員実員数に対し、それぞれの地域で給与が支払われていたということである。

しかしながら、農業社会から工業社会への転換に伴い、さらには就学者の増大や教育の多様化といった教育自体の変化に伴い、公教育費を誰が負担するかという問題がもち上がった。

とりわけ、収入源として固定資産税を中心とした地方財政の仕組みのもとで、支出として大きな部分を占める公教育費には、地域の財政力の差が反映しやすい。同じ州の中にあっても、地域（county）の財政力の格差がそのまま公教育費の格差と連動してしまうのである。

一例をあげよう。二〇世紀初頭のニューヨーク州で、教師一人あたりの公教育費を調べた調査によれば、表2-3に示すように、同じ地域内にあっても学区により教育費には大きな格差が存在した。このような格差を前に、州政府による公教育費の補助という問題が浮上し、盛んに議論されるようになるのである。

世紀の変わり目に、こうした議論がアメリカで登場したことにはいくつかの背景的な要因があった。第一に、前述のとおり、世紀をまたがり、アメリカは、農業社会から工業社会へと転換していく。それは自営農を中心とした社会から、都市部で雇用者となる社会への変化でもあった。一八六〇年からの四十年間で、年あたりの工業生産額は六倍に増え、労働人口のうち第一次産業従事者の占める割合は、五九%から三七%へと急速に減少した。かわって、第二次産業（鉱工業）や第三次産業に従事する人びとが四一%から六三%へと増えている。さらには、都市化の進展も著しく、一八六〇年に二〇%だった都市（人口二五〇〇人以上）居住人口は、一九〇〇年には四〇%に達している。

このような都市化や工業社会への変化に伴って、学校教育の役割も大きく変化していった。

表２－３　教師１人あ·たりの公教育費（20世紀初頭のニューヨーク州）

教師１人あたりの支出	学区									
	デラウェア第一	デラウェア第二	デラウェア第三	デラウェア第四	デラウェア第五	デラウェア第六	モンロー第一	モンロー第二	モンロー第三	モンロー第四
ドル										校数
440－479	‥	1	‥	‥	‥	‥	‥	‥	‥	‥
480－519	‥	1	‥	‥	‥	1	‥	‥	‥	‥
520－559	‥	4	‥	‥	‥	2	‥	‥	2	‥
560－599	1	2	10	2	11	6	‥	‥	‥	‥
600－639	5	6	11	11	8	7	‥	‥	‥	‥
640－679	11	6	13	16	5	4	‥	‥	‥	‥
680－719	8	4	6	7	6	8	‥	1	3	‥
720－759	7	3	7	4	5	8	‥	3	4	‥
760－799	6	4	1	5	2	2	2	3	4	3
800－839	4	1	1	2	‥	2	1	2	3	4
840－879	2	1	‥	‥	‥	1	2	5	4	6
880－919	1	2	1	2	‥	‥	2	2	6	4
920－959	1	4	‥	‥	2	1	9	1	2	6
960－999	2	‥	‥	‥	‥	‥	4	2	4	4
1000－1039	‥	2	‥	‥	‥	‥	1	3	6	1
1040－1079	1	‥	‥	‥	1	‥	4	1	5	3
1080－1119	‥	4	‥	‥	‥	1	1	2	2	5
1120－1159	‥	1	‥	‥	‥	‥	3	4	3	1
1160－1199	‥	‥	‥	1	‥	‥	3	1	1	‥
1200－1239	‥	1	‥	‥	‥	‥	‥	5	1	1
1240－1279	‥	1	‥	1	‥	1	‥	1	‥	1
1280－1319	‥	‥	‥	‥	‥	‥	1	‥	1	1
1320－1359	‥	‥	‥	‥	‥	‥	1	‥	1	2
1360－1399	‥	‥	‥	‥	‥	‥	1	‥	‥	‥
1400－1439	1	‥	‥	‥	‥	‥	‥	1	‥	1
1440－1479	1	1	‥	‥	‥	‥	2	‥	2	‥
1480－1519	‥	‥	‥	‥	‥	‥	‥	‥	1	1
1520－1559	‥	‥	‥	‥	‥	‥	‥	‥	‥	‥
1560－1599	‥	‥	‥	‥	‥	‥	‥	‥	‥	‥
1600－1639	‥	‥	‥	‥	‥	‥	‥	‥	‥	‥
1640－1679	‥	‥	‥	‥	‥	‥	‥	‥	‥	‥
1680－1719	‥	‥	‥	‥	‥	‥	1	‥	‥	‥
1720－1759	‥	‥	‥	‥	‥	‥	‥	‥	‥	‥
1760－1799	‥	‥	‥	‥	‥	‥	‥	‥	‥	‥
1800 and over	‥	‥	‥	‥	‥	‥	1	‥	‥	‥

Harlan Updegraff, "Rural School Survey of New York State 1922."

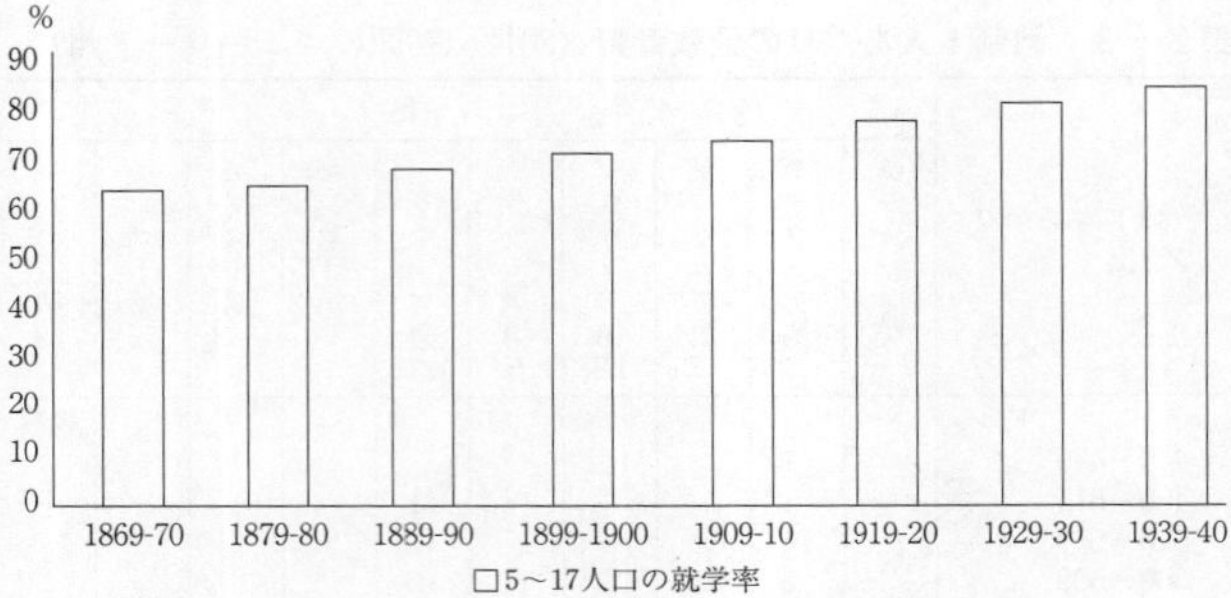

図２－４　アメリカにおける５～17歳人口の就学率の変化

農地で実地に農業技術を学び農業の担い手となっていた時代から、学校で知識や技術を学び、学歴を得て、雇用者になっていく道が広がっていくのである。さらには、フロンティアの消滅に伴い、未開拓地の農地化が社会的成功の機会と見なされていた時代から、どのような教育を受け、どんな職業に就くのかが社会的成功の機会と見なされるようになっていった（ラッシュ一九九七）。それに伴い、教育の重要性も高まっていった。図２－４に示すように、一九世紀後半から二〇世紀初頭を通じて、アメリカにおける初等中等教育の就学率は上昇を遂げていく。その結果、当然ながら、学校に通学する生徒の数も増えていったのである（一九〇〇年に一五七〇万人だったのが一九二〇年には二三四一万人、三〇年には二五九八万人になる）。

さらには、この時期は多様な移民が増えていく時代でもあった。多様な文化的背景を持った移民の「アメリカ化」もまた、教育に託される期待となっていく。量的にも質的にも、教育の比重が高まっていく時代、それが世紀の変わり目のアメリカであった。それだけに、公教育が負担すべき費用も増えていかざるを得ない。このような中にあって教育費の大きな格差は、「機会の平等」原則に反するものとして見なされるようになっていったのである。

教育施設の画一的保障

こうした歴史の中で、教育財政への州政府の支出を要請した主張の嚆矢となったのが、教育学者、カバリー（Cubberley）が一九〇六年に出版した *School Funds and their apportionment*（『学校財政の配分』）という著書である。カバリーは言う。

理論的にいえば、州内のすべての子どもたちは、同じように重要であり、同じように優遇される権利を持つ。しかし、実際のところをいえば、こうしたことはまったくもって真実とはほど遠い。州政府が果たすべき義務は、できる限り高度な、最低限のよい教育をすべての子どもに保障することであり、しかも、すべての子どもたちがこの最低限の教育だけにとどまらずにしておくことである。（Cubberley 1906, p. 17）

「自由と平等」を国是として標榜するアメリカにあって、州内に住む「すべての子ども」に「最低限のよい教育」を保障するためには、州政府による財政的な補助が必要だというのである。また、カバリーより少し時代が下って、やはり州政府による教育財政の補助を訴えたストレイヤーとヘイグは、「教育機会の平等化」の理念との結びつきをつぎのように表明していた。

> 今日、そしてこれまでも長年にわたり、「教育機会の平等化」とか「学校支援の平等化」として知られる目標をめざす動きがあった。これらのフレーズは、さまざまに解釈される。そのもっとも極端な解釈に従えば、つぎのようになる。すなわち、州政府は、税の負担という点において州全体を通じて、州内のどの子どもたちに対しても等しい教育施設を画一的（uniform）に保障しようと努めなければならないということであり、教育のための税負担は、納税力に比例して州全体で負担しなければならない。教育を望む教育可能な人口に比例して、学校教育の画一的（uniform）な提供をすべきである。（Strayer and Haig 1924, p. 173）

“uniform”という語にあえて「画一的」という訳を与えたが、ここでめざされているのは、州内の学校教育の標準化をめざすために、州による税負担が必要だという論理である。それによって「等しい教育施設」の提供が可能になり、それが「教育機会の平等化」につながると見なされていたのである。

財政格差をどう是正するか

このように、州政府による教育補助を通じて、地域間の教育格差の是正を教育財政の配分によって行なう主張が二〇世紀初頭のアメリカに登場する。これらの主張はたんに政治的な意思表明として説かれたわけではなかった。戦後の日本でしばしば見られた、「あるべき教育」の理想を語りそこから現実を批判する「教育論」とは異なり、教育財政の実態を調査した上で、望ましい教育財政の在り方を主張するというスタンスが採られていた。とりわけ、カバリーの著書の興味深いところは、二〇世紀初頭のアメリカにおいて、教育費の配分方法の実態をこと細かに調査し、その結果に基づいて、州政府による教育費補助の配分方法を論じている点である。

カバリーによれば、州政府が教育費補助の配分を行なう場合、どのような単位を用いて地域間の財政格差を是正するかによって、以下のような、いくつかのタイプがあるという。それらを概略まとめれば、つぎの五つの方式になる（Cubberley 1906）。

A、国勢調査による学齢人口を用いた方式
B、実際の就学者数を用いた方式
C、実際の就学者数に出席率を考慮に入れた方式
D、雇用されている教員数による方式
E、雇用されている教員数に就学者の出席率を考慮に入れた方式

このうち、A～Cは基本的に学区ごとの児童生徒数を単位とする配分方式である。それに対し、Dは学区ごとの教員数を単位とした方式であり、Eはその折衷《せっちゅう》である。

これらの中で、カバリーはEを推奨する。それというのも、学区ごとに実際に雇われている教員数は、「地域社会がどれだけの教員を教育に当たらせようとしているのか、努力の跡を示すものであり、小規模な地域にも大規模な地域にもあてはまりがよく、しかも学校制度の変化や新しい教育の導入などにも対応して変えていくことができる」(Cubberley 1906, p. 195) からだという。しかし、教員数だけでは、生徒の就学・出席状況や、開校している学期の長さなどを反映しないから、それを加味したEの方式がよいとするのである。このEこそ、阿部が紹介した教員単位 (teacher unit) の考え方に近いものであることは明らかである

（註1）。

しかし、後の議論を先取りすれば、奇妙なことに、ここには教員の「教える」という仕事の中身についての議論はほとんど登場していない。教育財政のテクノロジーとしては、教員実員数をもとにした配分という、もっともプリミティブな段階を少しだけ抜け出たところにとどまっていたのである。教師の教育労働の中身にも目を向けた教育財政のテクノロジーが登場するには、教育財政論議のもう一つの契機となる、「科学的経営革命」を待たなければならなかった。

ユニットコストのテクノロジー

教育財政をめぐる議論が再びアメリカで活潑化するのは、一九三〇年代の初頭である。その背景には、世界恐慌という未曾有《みぞう》の経済危機の経験があった。一九二九年に起きた世界恐慌の影響を受け、地方財政は危機に直面していく。税収が激減する中で、いかに公教育を維持するか。州政府による財政補助を行なうにしても、それを正当化するための理論と技術が必要になっていく。地方の学区の財政事情が悪化する中で、効率的かつある程度の公平さをもった教育財政制度の確立が求められるようになるのである。

このような教育財政のテクノロジーの発達にとって重要な意味をもったのが、民間企業で進んでいた科学的経営の思想であった。

あまりにも有名なフレデリック・テーラーの『科学的管理の原理（*The Principles of Scientific Management*）』が出版されたのは一九一一年だが、その後、企業経営の合理化を図る思想は、公共部門にも及ぶようになった。佐藤学の研究によれば、「一九一〇年代は、産業主義の『効率性』原理と教育研究の『科学的方法』とが、学校教育にも広く浸透し始めた時代であった」（佐藤一九九〇、七七頁）。税金を投入する以上、公立学校にも、それに見合う「効率性」が求められるようになる。そして、効率的であるかどうかを示すには、「科学的」な手法を用いて、効率性を証明しなければならない。こうした公教育の効率性をめぐる議論の中で、とりわけ教育財政のテクノロジーにとっての重要な変化は、ユニットコスト（単位費用）という企業経営の考えが導入されたことである。投資に見合った収益が上げられていたかどうかを計算するためには、何らかの単位（unit）を設定して、それをもとに投資効率（投資と収益の比）を計算する。こうしたことの応用として、教育行財政の仕組みにおいても、ユニットコストを導入しようとする動きが起こり、さらには何を公教育のユニットと見なすかという議論が盛んになっていくのである。

なるほど、州政府の補助を通じて教育費の平等化をめざすという場合でも、どのような単位で教育費を計算し、そこにどれだけの格差があると見なすのか。しかも、機械的な平等をめざすのではなく、効率化も同時にめざそうとするのであれば、単純に生徒一人あたりの教育費を同額にすればよいという議論ではなくなる。ここにおいて、教育機会の平等という理念と、教育費配分の効率化とを両立させ、金銭的なタームに置き換えて具体的に示すための技術が必要となるのである。ましてや大恐慌を経験し、地方の財政が危機に瀕している状況下ではなおさらのこと、平等と同時に効率性を求める議論が、教育財政論議の中心に据えられるようになる。公教育のユニットコストを何に求めていくかという議論も、こうした文脈のもとで大きな意味をもったのである。

一九三〇年代前半に、アメリカの公立学校の行政担当者の全国組織である全米公立学校行政官協会（The National Association of Public School Business Officials）は、ユニットコストという考え方を公立学校財政の仕組みに導入することの意義をつぎのように表明していた。

ユニットコストは、（教育）行政の効率性と経済化を確立するために用いられるべきである。端的に言って、ユニットコストを用いることの価値は、つぎの点にある。(a)予算を積算する上での科学的な根拠を提供する。(b)支出を削減することに目的がある場合や、部局間や建物間で、正当化できないような支出の差異があるように見える場合には、どこに問題があるかを幹部に説明する。(c)どの部分がより必要性があるか、あるいはないかを示することによって、各学校の長所と短所とを明らかにする。(d)機能や部局や目的ごとのユニットコストの計算は学校が提供するサービスを評価し、極端な傾向に陥らないよう納税者を守るための指標となる。(e)一般的に、ユニットコストは、正しい実践の標準(standards)を立ち上げ、効率的で経済的な経営のための指標の公式をつくり、幹部や教育委員会、市民に対して、公立学校への支出という、つねに問われ続ける問題への解答を与えるものである。(註2)

公立学校への支出が効率的で公正であることを示す必要性の高まりを背景に、「正しい実践の標準(standards)を立ち上げ」ることが求められた。そのために、ユニットコストの設定が重要な関心事となっていくのである。

それでは、公立学校においては、いったい何をユニットコストとして設定すればいいのか。この議論は、支出の大部分を占める人件費、とりわけ教員の人件費をめぐる議論へと収斂《しゅうれん》していく。

生徒時間(pupil hour)

つぎの表2-4は、教員の労働単位(仕事量)をどのように設定して、ユニットコストに

表2－4　教師の仕事量の計算方式

情報源	手続き	結果として用いられるユニット	補足的手段
(1)Middle States Association	スケジュールをもとに授業時数を計算する	1週間あたりの授業時数	
(2)Middle States Association	全生徒数に教員が教える時間の総数をかけた数字	生徒時間ないし1日／1週間あたりの生徒時間	
(3)Almack and Bursh	全生徒数と教員が教える時間の総数と教科か活動ごとの重み付け係数をかけた数字	重み付け係数を用いた生徒時間	教科ごとの重み付け係数の表
(4)Brown and Fritzmeier	上の（3）の方式に担当科目の種類や授業準備の時間などを比率として計算した数値を加える	重み付け係数を用いた生徒時間	教科ごとの重み付けと教科の種類・準備時間についての修正値の表
(5)Douglass, 1928	NC＋(NP－25NC)／60＋(P－3)／3		
(6)Douglass, 1928	(CP－2Dup＋(NP－20CP)／100＋PC／3)×(PL＋55)／100)		
(7)Philadelphia public schools	配分された授業担当時数に共同活動の時間と配分されていない活動についての当番による活動料を加える	配分された総時間数	
(8)Reichard, Koos	それぞれの授業／教育活動の時間数にその活動1校時あたりに必要な準備時間をかけ、さらにその合計を計算し、それを5で割り、得点化とする	理論化された得点	
(9)Tritt and Keyes	(5)の方式をそれぞれの科目に適用し、科目ごとの係数をそれにかける。そこにはホームルームなどの時間も加える	理論化された授業時数	教科ごとの係数
(10)Ward	1日あたり義務づけられた仕事の時間数の総計を算出。1日あたり20分間を準備時間とし、それを1週間分として加える。さらに、1つの授業で生徒一人あたり3分間とする時間を計算し加える。他の活動時間を加え、それらの合計を計算する	1週間あたり時間	

NC：授業数、NP：生徒数、P：準備の時間、CP：1週間あたり教室での授業時数、Dup：準備がほとんどいらないような授業の1週間あたりの教室での授業時数、PC：1週間あたりの授業以外の指導時間、校務分掌などの仕事時間、PL：授業時数の合計を分で表した数値

出典：Newson N. Willian and Pollack, Richard S. “Computing Teacher Load: Analysis and Comparison of Various Methods” *The School Review*, Vol.47 No.8, 1939, pp.586-596

つなげていくかについてのさまざまな方法をまとめた研究から引用したものである(Newson and Pollack 1939)。教師の仕事量(teacher load)について、このような表がつくられ、それに解説が加えられ、さまざまな方法間の比較考量が行なわれた。その目的は、「大恐慌後の財政上の縛《しば》りがきつくなる中で、教員の仕事量の問題が教育行政にとって突出する問題になってきた」(Newson and Pollack 1939, p. 586)ことをふまえ、初めての試みとして、教員の仕事量に関するさまざまな方式を調べてみることにあった。

この表から、一九三〇年代のアメリカで、生徒数、授業時数、教員数など、教育を特徴づけるいくつかの側面(=変数)の組み合わせとして、教員の労働を単位化しようとする複数の試み(=公式)が開発されていたことがわかる。それぞれに特徴を持つ方式が紹介されているのだが、多くに共通する要素は、授業時数と生徒数であった。そして、そこから(多少のバリエーションはあれ)広く使われるようになる「生徒時間(pupil hour)」という考え方が導出されるようになるのである。

生徒時間とは何か。それは、教員の労働の単位として、いくつかの方法で補正された平均出席者数(=生徒数、Pとする)に、教員が教える時間(Hとする)をかけ算することで算出される値(Y=P・H)である。これは、それ以前に使われていた出席生徒数や、実際に雇われている教員の現員数といったプリミティブな単位や、両者の組み合わせで計算できる教員単位（teacher unit）の考え方とは異なり、教員の労働時間や仕事の大変さも考慮に入れたユニットコストの考え方である。

一九三八年に出版された *Review of Educational Research*（『教育研究評論』）という雑誌では、教育行財政の仕組みについての特集を組み、教育財政をめぐる議論を紹介している。その論文の一つが、先に引用した全米公立学校行政官協会の動きについて、つぎのようにまとめている。

全米公立学校行政官協会は、先に引用したように、ユニットコストを決定することが、通常みられるような、（生徒の）一日平均出席者数のみをもとにコストの計算をする一般的なやり方を乗り越えるための一つのステップにしようと試みている。一日あたり総（gross）平均出席者数は、重み付けした一日あたり平均出席者数と、それぞれ主要な支出の分類と機能ごとの一〇〇〇 pupil-hour コストによって補正されてきた。このようなことをする目的は、出席者数と時間という要素を共に考慮に入れて、学年や教科ごとの pupil-hour コストの計算を可能にするためであった。pupil-hour（時計の一時間）という要素を求めるのは、それが、学校の出席すべき日数の差異、さまざまに異なる教育活動に要する時間の差異、さらには、同じ教育活動を行なう場合でも、定時制か、午前部〜午後部のような二部制をとるのかなどによる違いなど、さまざまな時間の差異を平準化するためである。(Theisen 1938, pp. 154-162.)

いくつかの方法で補正された平均出席者数(=生徒数)に、教員が教える時間をかけ算することで算出される生徒時間(pupil-hour)を、公立学校におけるユニットコストとして計算する。このような生徒時間という考え方の導入には、二つの重要な意味があった。一つは、このレビューが示すように、教員の労働の違いをも考慮に入れて、教育という仕事に費やされる「さまざまな時間の差異を平準化する」テクノロジーとして優れていると見なされたことである。効率性や公平性を制度的に明らかにしようとすれば、さまざまな活動を、単位をそろえて比較することを可能にするテクノロジーが不可欠になる。それを労働の質を見込んだ生徒時間という次元に集約することで実現するこの方法は、さまざまな教育活動の差異を捨象することで教育にかかる費用(人件費)を標準化するために生み出されたテクノロジーといえる。実際には同じ労働だと見なすことのむずかしい教員の仕事に対しても、標準化という考え方を導入することで、それを比較可能にし、そこで得られた単位をもとに、人件費を計算し、それを配分しようとする考え方が発達していったのである(註3)。

しかし、それは、たんに教育行政の効率化を図るという目的に照らして、新たなテクノロジーが開発されたということにとどまらなかった。本書の議論にとってより重要なことは、ここに示されているのは、この当時変化を遂げたアメリカ的な教育の考え方をベースにおいたユニットコストの導入だという点である。つまり、出席生徒数や教員の実員数といった単位から生徒時間へのユニットコストの変化の背後には、教育に関する基本的な考え方の変化が連動していたのである。

4　学習の個人化と教育財政のロジック

学校中心主義から子ども中心主義へ

教育労働の単位を、こうして生徒の数と教員の教える時間の積によってとらえる考え方には、教師が教えるという仕事の量は、教えるそれぞれの時間に応じて、教える対象の生徒数に比例して増大するという、単純だがそれ以前には含まれていなかった考え方が反映している。そこには、学習の個人化という流れを反映した教育の変化が含まれていたといってよい。

こうした変化は、戦後日本で採用された、学級内の最大生徒数を定めて、それに見合った教員数を雇うという考え方とは大きく異なるものであった（これについては次章で詳しく見る）。二〇世紀初頭から一九三〇年代にかけて、こうした生徒時間というユニットコストの考え方が導入された背景には、科学的経営の影響にとどまらない「教育学的」な理由があったということだ。

教授学習理論の歴史を見れば、教授学習における個人化の理論が登場するのは、この時代と大きく重なる。その大きな流れの中心に、「子ども中心主義」をベースとした進歩主義的教育運動があった。

すでに別のところで述べたように、世紀の変わり目から一九三〇年代にかけて、アメリカの教育界では、学習の個人化をめざす動きが盛んになっていった（苅谷二〇〇四）。その先駆者の一人として、スタンレー・ホールがいる。ホールは、その著『青年心理学』で知られ、教育心理学、児童心理学、青年心理学のアメリカにおける創始者の一人と見られている。ドイツで実験心理学を研究して帰国したホールは、アメリカではじめて、ジョンズ・ホプキンス大学に心理学の実験研究室を作った人物でもある。また、哲学者ジョン・デューイの指導教授でもあった。このホールこそ、「子どもが学校に合わせる、学校中心（scholiocentric）」の考えを否定し、「学校が子どもに合わせる、子ども中心（pedocentric）」の教育の考え方の生みの親の一人であった（苅谷二〇〇四）。

アメリカのハイスクールについて、子ども中心の教育思想を表明したホールの著作が出版されたのは、一九〇一〜〇二年である。その後、こうした子ども中心主義をベースとした

「進歩主義的教育」の実践や理論が広く行なわれるようになっていく。たとえば、現在の日本の「総合学習」にも通じる、有名なキルパトリックの「プロジェクト・メソッド」についての論文が発表されたのは一九一八年であった。このメソッドの「根本原理」は、彼自身によってつぎのように説明されている。

我々の根本原理は、結局、子どもは、自ら賢明に目的を設定し、知的に計画し、自ら作成した計画をよりよく実行することを学び、さらに、その自分の行動の結果から学ぶべきだということにある。（佐藤一九九〇、一二〇頁より引用）

それは、一人一人の子どもが自ら学ぶことを基礎においた教育思想とその実践の提唱であり、そこでは子どもの「活動」が「プロジェクト」の重要な単位となる。また、「プロジェクト・メソッド」には、共同で学習を行なう集団的なプロジェクトと、個々の生徒が活動を行なう個人プロジェクトの二つが含まれていた。いずれにしても、生徒個々人の活動を重視した教育活動が奨励されるのであり、生徒集団をひとまとめにして一斉に教える教育方法（教師中心主義や知識中心主義）からの脱却が図られたのである。

個人としての学習者

表２‐５は佐藤（一九九〇）の研究から、一九世紀の終わり頃から一九三〇年代にかけてどのような進歩主義的学校が設立されたかを再掲したものである。有名なシカゴ大学附属のデューイ・スクール（一八九六）、コロンビア大学ティーチャーズ・カレッジ附属のリンカーン・スクール（一九一七）を始め、子どもの個性尊重を謳う教育実践を繰り広げた学校や教育実践が、まさにこの時期に展開している。

こうした教育思想や教育実践上のアメリカ的展開を背景におくと、生徒時間の教育学的な意味が明らかとなる。なるほど、生徒の個性尊重を謳う進歩主義的教育運動と、教育の効率性を求める「社会的効率主義」の教育運動とは、時代的には重なるものの、二つの異なる教育の流れではあった。しかし、いずれも、学習の個人化の流れに棹《さお》さすものであるという点では共通していた。それが言い過ぎだとしても、少なくとも、教育の効率性を追求する中で生まれた生徒時間という単位が、それとほぼ同時代に登場した進歩主義的教育運動が提唱する子ども一人一人の学習活動と親和性を持っていたと言うことはできるだろう。一人一人が異なる教育活動を行なうことを奨励し、それゆえに教える生徒が一人増えれば、その分だけ教師の仕事量が増えるという前提（その逆も真なり！）、さらには、その前提にしたがって算出される費用に関する単位をもとに、教育財政の仕組みを組み上げていく考え方は、学習の

表2－5　1845年から1930年代に設立された進歩主義諸学校

1845	Germantown Friends School (Burton Fowler)
1875-1880	Quincy, Public Schools (Francis W.Parker)
1883-1901	Practice School of (a) Cook County Normal School, (b) Chicago Normal Shool (1896-1901) (Francis W.Parker)
188《ママ》-	Ethical Culture School
1897	Horace Mann School
1896-1904	Dewey School (John Dewey)
1907	School of Organic Education (Marietta Johnson)
1912	Park School (Eugene R.Smith)
1913	Edgewood School (Marietta Johnson)
1913《ママ》	City and Country School (Caroline Pratt)
1915	Walden School (Margaret Naumburg)
1915	University of Iowa Elementary School (Ernest Horn)
1915	Shady Hill School (Katharine Taylor)
1917	Lincoln School of Teachers College (Abraham Flexner)
1917	Moraine Park School (A.E.Morgan, J.H.Patterson)
1917	Institute for Creative Education (Cora L.Williams)
1919	Cambridge School (John R.French)
1919	Chevy Chase School (Stanwood Cobb)
1919	Winnetka Schools (C.W.Washburne), Downers Grove School (L.B.Morse)
1919	Tower Hill School (Burton Fowler)
1920	Dalton School (Helen Parkhurst)
1921	Birch-Wathen School
1921	Beaver Country Day School (E.R.Smith)
1921	Little Red School House (Elizabeth Irwin)
1923	Scarborough School (Wilford Aikin, Mrs. Frank A. Vanderlip)
1923	John Burroughs School
1923	Hessian Hills School (Elizabeth Moos)
1923	Ojai Valley School (Edward Yeomans)
1924	Manumit School (labor)
1929	Roger Clark Ballard School (1929-1934) (Elsie Clapp, Director)
1930's	Such public schools as Bronxville, under W.W.Beaty, Shaker Heights, under Arthur K. Loomis, University School of Ohio State University and many other Schools of Education and Teachers Colleges
1934	Arthurdale School (1934-1936) (Elsie Clapp, Director)

出典：Rugg, Harold, ***Foundations for American Education,*** 1947, pp.569-70.

個人化という教授学習過程の変化を受け入れやすい資源配分のルールだったのである。

次章で見る、「一斉指導」を前提に学級集団をベースとした戦後日本での仕組みとは異なり、ここには個人としての学習者を重視する基本理念が込められていた。それゆえに「教育機会の平等」の考え方にも違いが出てくる。先に見たように、地域ごとに異なっている教育財政の仕組みにメスを入れ、それを是正しようとする場合、その基礎となる単位に、ここで見た生徒時間が使われるのである。

たしかに、どんな方法で算出された教育費であっても、その総額を生徒数で割り算すれば、生徒一人あたりの教育費を計算できる。しかし、その総額がどのように計算されるのか。もともとの単位費用の考え方によって、総額自体も変わるし、その配分のしかたも変わってくる。事後的に割り出される生徒一人あたりの教育費がたとえ同じになるとしても、そこにいたる考え方は、生徒時間をもとにするか、あるいは旧来的な教員単位（teacher unit）をもとにするかでは大きく異なるのである。そして、その違いは、「教育機会の平等」を実現するための資源配分のあり方にも関係する。

理念型として示せば、生徒時間を単位にした場合には、質的な面でも量的な面でも、個々の生徒の学習の違いをも考慮に入れて、教育機会の平等とはいかなる状態かを考えることにつながっていく。教育活動や学習の多様性を前提に、あるいは、個別的な学習の成果を前提に、さらに言えば、個々の生徒の能力や適性の違いを前提に、そうした差異に応じた多様な教育を提供することが「教育機会の平等」となる。個別学習や能力別の指導を通じた「平等」への接近である。それに対し、単純な教員単位（teacher unit）では、学習活動の変化や多様化が生じたとしても、それほど敏感には単位費用に反映しない。教授学習活動の質と量が、ユニットコストの計算に組み込まれていないからである。他方、教員の教育労働の多寡を、生徒の数と学習の質・量の両側面から捕捉できる生徒時間を単位費用とした考え方は、多様で個別的な学習を通じての――日本との対比で言えば一斉授業方式とは異なる――教育機会の平等という考え方につながりやすいのである。それゆえ、アメリカで発展した教育資源配分のルールには、日本的な展開が暗黙のうちに含んでいたルールとは大きく異なる、教授学習のロジックとの結びつきが想定されていたと言えるのである。

このように、教育の資源配分の仕組みに込められた前提と、教育思潮や教育実践の考え方との間に、一定の親和的な関係があるという知見は、公的な資金によって運営される公教育の意味を考える上で重要な切り口となる。資金配分を実現するために開発されたテクノロジーに込められた考え方と、教育実践の考え方との関係は、通常、白日の下にさらされることはない。義務教育のためにどのようにお金が配分されているかにはほとんど関心が持たれないためである。その自明性が高い分、教育資源の配分の仕組みが、そこで行なわれる教育や、その実践をベースに考えられる「教育機会の平等」といった理念とどのような関係にあるのかにも目が向かなくなる。そこに目を向けないまま、私たちは、通常、これらを切り離して、教育実践の部分のみを論じてきたのである（註4）。

しかし、いまや私たちは、教育における資源配分のテクノロジーの発展史を一瞥した。歴史が教えてくれたことは、教育資源の配分の仕組みを動かしているロジックと、そうして配分された資源の上で行なわれている教授学習過程を動かしているロジックとの間に、一定の親和的な関係があるという可能性であった。それらのロジックの組み合わせや結びつき方次第で、教育機会の平等が何を意味するのかも、それを実現するためにどのように教育の〈システム〉をつくり出すのかも違ってくる。いわば、教育機会の平等を実現するための〈システム〉設計の要の位置に、これら二つのロジックのつながりという問題があったのである。

アメリカの場合、合理的・科学的な経営と結びついて出てきた、ユニットコストとしての生徒時間の考え方は、教師の仕事量をもとに、生徒数に応じて何人の教師が必要かを算出する際の要素となるものである。それゆえ、そこでどのような教育が行なわれるかといった教育の質と量と、教員の負担量・必要数を考慮に入れて、それらを教育にかかる人件費と結びつける技術であった。教育実践を支える考え方と、その実践の担い手の労働の質と量と、それらを数量化し、最終的に貨幣的価値に換算するための公式（formula）——これらを考察の対象とすることで、私たちは、教育における資源の配分と、そこに込められた教育の理念との関係を明らかにすることができたのである。

アメリカを対象にした分析を下敷きに、次章では戦後の日本を対象に、同様の分析を試みる。それによって、私たちが自明視してきた、日本的な「教育機会の平等」と資源配分の仕組みとの親和性を明らかにすることが課題となる。

アメリカにおけるその後の展開

次章の分析に移る前に、簡単に、アメリカ教育の「その後」についてふれておこう。州政府による公教育の補助をいかに行なうか。教育機会の平等を標榜して起こったアメリカにおける公教育費をめぐる議論は、平等という場合に何を単位に、何を比較すればよいのかといった問題を俎上にのせることとなった。こうした議論にさらに火をつけたのが、黒人の分離政策に対して、「ノー」を突きつけた一九五四年の「ブラウン判決」以後の教育論議であった。黒人の学校と白人の学校との間の教育条件の差異を明らかにする運動の中で、さまざまな教育条件を示す指標が比較され、その差異が教育の不平等を指し示す証拠として論じられるようになっていく。

にもかかわらず、現在においても、アメリカでは依然として、教育の財政上の不均衡は解消していない。有名なコールマン・レポートによって、教育の物質的な条件や学校の財政上の差異が、人種間、階級間の教育の不平等には直接的な関係を持たないことが示されたが、現在に至るまで、教育財政をめぐる議論は収束を見せていない。州政府や連邦政府による補助を通じた教育費の平等化の議論が盛んになっていったにもかかわらず、アメリカには、その実現を阻む大きな力が働いてもいたからである。政府による教育の統制を忌避する地方自治の伝統である。

そのために、州政府による教育財政の補助はその後もなかなか進まずに、アメリカの教育財政は今日に至っている。表2-6に示すように、アメリカでは一九三〇年代以後七〇年代に至っても、公教育への支出はローカルなものでありつづけた。アメリカ全体で見た場合、州政府の教育支出が公教育費のおよそ半分に達したのは、一九八〇年代半ばになってからである。表2-7は、二〇〇一年度のニューヨーク州の生徒一人あたり教育費を示したものだが、現在に至ってもなお、地域間の教育費や教員給与の格差はほとんど是正されていない。

表2-6　アメリカの公教育への支出における割合

	連　邦	州	地　方
1929−30	0.3	17.0	82.7
1939−40	1.8	30.3	67.9
1949−50	2.9	39.8	57.3
1959−60	4.4	39.1	56.5
1969−70	6.6	40.7	52.7

出典：U.S. Office of Education except for the year 1969-70 which was estimated by the National Education Association.

表2－7　ニューヨーク州の学区ごとに見た児童生徒1人あたり公立学校教育費

学区		Great Neck	Scarsdale	Malverne	Chappaqua	Hempstead	Yonkerr City	Cold Spring Harbor	Garden City
学区の性格	支援の必要度	低	低	平均	低	高	高	高	低
	地理的条件	郊外	郊外	郊外	郊外	郊外	都市	郊外	郊外
児童生徒1人あたり公立学校教育費（2001年）		$18, 566	$15, 725	$15, 603	$15, 051	$14, 506	$14, 109	$14, 059	$13, 817
政府の税負担率（2001年）	連邦	2%	1%	4%	1%	6%	8%	1%	1%
	州	11%	13%	34%	17%	50%	64%	13%	12%
	学区	88%	86%	62%	81%	45%	29%	86%	87%
教員の平均給与（1999年）		$81, 819	$87, 311	$66, 094	$76, 740	$62, 615	－	$66, 152	$65, 000
教員の離職率（1999年）		7%	5%	15%	9%	14%	12%	14%	6%

学区		Roosevelt	Rochester	New York City	Sewanhaka Central HS	Canton	South Colonie	Portville	Lion	Tioga
学区の性格	支援の必要度	高	高	高	平均	高	平均	平均	高	高
	地理的条件	郊外	都市	都市	郊外	地方	郊外	郊外	郊外	郊外
児童生徒1人あたり公立学校教育費（2001年）		$13, 258	$12, 225	$11, 628	$11, 492	$10, 728	$9, 945	$9, 056	$8, 390	$7, 989
政府の税負担率（2001年）	連邦	8%	12%	1%	1%	6%	2%	5%	7%	7%
	州	63%	63%	52%	29%	70%	35%	78%	79%	76%
	学区	29%	25%	39%	69%	23%	63%	18%	14%	17%
教員の平均給与（1999年）		－	$40, 404	$51, 020	$72, 448	$43, 220	$46, 856	$41, 569	$93, 455	$39, 216
教員の離職率（1999年）		6%	11%	19%	13%	15%	11%	7%	12%	13%

注：学区の性格はニューヨーク州教育局の資料に基づく。「支援の必要度」は英語を母語としない児童生徒や障害を持つ児童生徒など、特別な教育支援を必要としている児童生徒が多いほど、「高」いことを示す。

出典：The University of the State of New York, The State Education Department, A Report to the Governer and the Legislature on the Educational Status of the State's School : Submitted June 2001

本資料は、中央教育審議会義務教区特別部会に苅谷が提出した資料を一部省略したものである。資料の作成にあたっては文部科学省初等中等教育局財務課の協力を得た。

州政府による教育への統制を嫌うという価値を上位におけば、公教育の費用負担は地域に任されたままになる。その結果、著しい教育費の格差が生じ、それが教育の不平等をもたらす。統制の忌避＝自由を優先させることで、平等が犠牲になる結果を招来するのは、教育費を誰が負担するのかという問題が、すぐれて価値選択の問題と結びついているからである。もちろん、単純な裏返しに意味があるとは思えないが、統制を受け入れることで平等の価値を優先する選択肢もあり得るのだ。だが、アメリカではなかなかこの問題は決着を見ない。統制か分権化といった二分法的図式では簡単には解けない問題だからである。この議論の延長線上に、現在の日本の分権化の問題があるのだろうが、ここではそれは論じない。現代の問題を直接論じるよりも、歴史に沈潜することで神話の解読に向かうほうが、現代の教育論議の問題点を浮かび上がらせる上で、より根源的な議論が出来ると思うからである。

そのために次章では、戦後の日本が、教育行政のトラウマともいわれた戦前期からの負の遺産、教育格差の是正という課題に、どのような解決策を与えていったのか。その歴史を追うことにしよう。二〇世紀前半の戦前期日本とアメリカの経験が、戦後日本の〈システム〉づくりの設計図にどのような刻印を残したのだろうか。

註

1、ジョーンズ、アレクサンダー、ジョーダンの研究によれば、教員単位（teacher unit）の考え方を明確に示したのは、アプデグラフ（H・Updegraff）だという。

2、この箇所は、Theisen（1938）によった。

3、生徒時間の考え方は、ハイスクールの学校経営の効率性を証明しようとする議論から生まれたという説がある。Callahan（1962）によれば、教育行政学者の John F. Bobbit がこの考え方を広めたという。ハイスクールのように異なる教科を異なる教員が教える公立学校において、効率性を示すためには、「標準化されたユニットコスト」の設定が必要だと考えられたのである。Bobbit は、その論文の中で、異なるハイスクール間の効率性を比較するために、一〇〇〇生徒時間を単位に、教科ごとにいくら費やされているかを比べている。

4、近年の日本での「学力低下」論争の中で、一つの解決策として「少人数学級」の実現が求められたのは偶然ではない。ここで述べた資源配分のロジックと教授法や学力観との関係ゆえに、日本では「少人数学級」をめぐる議論に収斂していったのである。

第三章　設計図はいかに描かれたか

1　戦後の再出発

義務教育の制度化

戦後日本社会における義務教育は、「機会均等」と「無償制」の原則を謳った憲法および教育基本法によって、すぐれて平等主義的な理念のもとに準備された。憲法第二十六条には、「すべて国民は、法律の定めるところにより、その能力に応じて、ひとしく教育を受ける権利を有する。／すべて国民は、法律の定めるところにより、その保護する子女に普通教育を受けさせる義務を負ふ。義務教育は、これを無償とする」とある。

これを受けて旧教育基本法第三条では、「教育の機会均等」として、「すべて国民は、ひとしく、その能力に応ずる教育を受ける機会を与えられなければならないものであって、人種、信条、性別、社会的身分、経済的地位又は門地によって、教育上差別されない。国及び地方公共団体は、能力があるにもかかわらず、経済的理由によって修学困難な者に対して、奨学の方法を講じなければならない」とある。教育を受ける権利自体を保障するとともに、教育を受ける機会は「人種、信条、性別、社会的身分、経済的地位又は門地によって」差別されないものとして保障されている。

さらに、憲法のいう「法律の定めるところ」として、旧教育基本法第四条（義務教育）で、「国民は、その保護する子女に、九年の普通教育を受けさせる義務を負う。国又は地方公共団体の設置する学校における義務教育については、授業料は、これを徴収しない」と規定している。

高校教育や高等教育といった義務教育後の教育とは異なり、国や地方自治体は、義務教育のために普通教育を行なう学校の設置を義務づけられ、すべての国民が、「その保護する子女」に九年間の「普通教育」を受けさせる義務を負う。つまり、「ひとしく教育を受ける権利」の中でも、教育のもっとも基底的な土台となる部分を、普通教育（general education）として規定しているのである。ここでいう普通教育とは、すべての国民に共通に必要とされる教育のことであり、まさにgeneral（一般的）な教育を指している。つまり、教育の機会均等という場合に、その内容の点でみても、共通の普通教育を保障することが義務教育を通じた教育機会の均等と考えられているのである。

ここでは法律論を展開したいのではない。戦後制定された憲法や教育基本法の規定を振り返ったのは、戦後日本の再建のスタートラインのところで、義務教育の制度化が、どのような理想に彩られていたかを確認するためである。敗戦による社会の混乱や経済・財政の破滅的な状態を前提にしてもなお、新しい義務教育の制度をつくり上げようとした、その出発点にあった理想＝理念を今一度確かめたかったからである。

文部省の認識

しかしながら、この理念を現実のものにするには、あまりにも大きなハードルが待ちかまえていた。戦前からのトラウマともいえる教育の地域間格差の問題であり、さらには、敗戦により教育のインフラストラクチャーが大きく毀損《きそん》してしまったという、マイナスからの出発を余儀なくされたことである。

こうした現実を前に、いかにして戦後教育の理想を実現するか。教育の行政を預かる文部省にとっても、問題山積の認識が明確にあった。終戦から八年後の一九五三（昭和二十八）年に発行された教育白書『わが国教育の現状』には、「教育の機会均等を主として」という副題がつけられていた。そしてそこにはつぎのような現状認識が示されていた。

これらの戦後の教育改革は占領下という特殊事情のもとで、きわめて短時日の間に理想を追うて急激に行われたため、制度的には一見民主的諸改革が徹底されたようであったが、これを裏付ける財政措置については必ずしも充分ではなく、平和会議を持った昭和二十六年ころより、独立後の今日に至るまでの教育問題のおもなものは、新教育制度を実施しあるいは補完するための財政負担に関するものであり、義務教育費国庫負担法・産業教育振興法・公立学校施設費国庫負担法・危険校舎改築促進臨時措置法その他若干の振興法が立法化された。（文部省一九五三、一三～一四頁）

民主的諸改革を「裏付ける財政措置」の不足。それが、教育の機会均等を阻む主たる問題として行政当局によって認識されていたのである。さらに白書はいう。

地方財政の自主性の欠如と地方間の財政収入の不均衡が教員の給与・質・量の面における著しい不均衡をきたしている。たとえば東京都と島根県における勤続五年の短期大学（旧制専門学校程度の師範学校を基準とする学歴区分）卒教員の給与を比較すれば、前者は本俸一三〇三五円に対し後者は九八〇〇円である。また東京都の助教諭の占める比率は昭和二十七年度においては小学校一・四％、中学校〇・六九％に対して北海道においてはそれぞれ四〇・五三％、二七・二二％の高率を示している。また東京都と高知県の一学級当たり教員数を比較してみると小学校においては、前者は一・三一五人、後者は一・一七一人である。これ等の給与・質・量の差は結果的に教育の不均等を意味するものであり、是正されなくてはならない。（文部省一九五三、一七頁）

このように具体的な数字を挙げて、地域間の教育格差の実態が報告されていた。こうした現実を前にすれば、憲法や教育基本法が謳う教育の機会均等の理想も色あせてしまう。さらにいえば、教育機会の平等を実現することが、民主的で平和な国家の建設にとっても重要な試金石だと認識されていただけに、教育財政をめぐる問題は、まさに切実で現実的な問題として文部省の最重要課題となっていたのである。

それでは、教育財政の問題は具体的にどのように議論され、どのような解決策が与えられることになったのだろうか。「教育機会の平等」を実現するための制度は、どのようにつくられたのか。そこに込められた理想や理念は何か。また、実際にその制度を作動させる仕組みは、どのようにつくられたのか。それらを含む、戦後日本の教育機会の平等に向けた〈システム〉の設計図はどのように描かれたのだろうか。

アメリカの影響

本格的な分析に入る前に、第二章でふれた戦前の動きからのつながりについて、簡単に振り返っておこう。その流れをおさえておかないと、設計図の意味もわかりにくくなる。

すでに述べたように、一九一八年に市町村義務教育費国庫負担制度が制定された。それ以前には、義務教育費は市町村の負担であったのを、この制度によって、市町村立小学校教員の給与の一部を国が「教育特定補助金」と「地方財政補給金」を通じて負担することとなった。困窮する地方財政に対し国の部分的な補助により、地方の負担を軽減することが主なねらいであった。しかし、この制度は、教育機会の均等策として採られたものではなく、地方財政の逼迫に対するあくまでも緊急避難的な措置として始まったのであり、教育機会の均等にとってはあまりに非力なものであった。その点は前章で見た阿部重孝の言によっても明らかであった。

その後、世界恐慌や軍事費の急増などの影響を受け、地方財政がさらに危機的な状態に陥った。そのため、一九四〇年には「義務教育費国庫負担法」が制定された。この法律によって、義務教育の教員給与の分担は、市町村と国とが分担する形から、道府県と国とが半分ずつを担う形へと変更された。阿部の提言が一部実現した形になったのである。

ところが、この制度は、戦時下の厳しい財政事情のもとで、有効に働いたとはいえないまま、敗戦を迎えることとなった。そして戦後の教育は、アメリカの影響を受け六三三制の学校制度を導入した。新制の中学校が義務教育に加わり、義務教育に支出すべき公教育費も増大を余儀なくされた。支出が増える中で、アメリカの影響を受けたもう一つの改革が、公教育費の負担構造を大きく変えることとなった。徹底した地方分権の制度である。

一九四八年に公選制の教育委員会制度が導入され、初等中等教育においては、教育行政の地方分権化が推し進められた。財政面でも、一九五〇年度からシャウプ勧告に基づく平衡交付金制度が導入され、それに伴い、戦前から続いていた義務教育費国庫負担制度は廃止された。義務教育費についても、ひも付きではない平衡交付金を通じて財政調整が行なわれるようになったのである。

ところが、当時の財政事情のもとで、この制度は、教育費の増大分に見合うだけの財政調整の役割を果たし得ないという批判が、文部省や教育界から出された。さまざまな議論の末、一九五二年に義務教育費国庫負担法が成立し、再度、義務教育教職員給与の二分の一を国が負担する制度が導入された。一九四〇年に制定された同名の法案と同じく、市町村立の公立義務教育諸学校の教職員の給与等を、国と都道府県とで二分の一ずつ負担しあうものであった。

2　戦後の要請

教育財政の独立

それでは、そこに導入された戦後の義務教育費国庫負担制度を実際に作動させる仕組みはどのようにつくられていったのか。以下で明らかにするのは、「標準法の世界」成立の歴史である。そして、それは「面の平等」という、教育機会の平等実現の日本的な仕組みの基軸とも言える制度化の過程である。

シャウプ勧告に基づく平衡交付金制度が実施されていた時期に、文部省初等中等教育局庶務課長であり、「全国教育財政協議会」の会長を務めた内藤誉三郎《ないとうたかさぶろう》が残した文章がある。その後文部事務次官に昇進し、戦後の教育行財政の制度化に多大な貢献をなした内藤が記した第六回教育指導者講習教育財政科の研究成果の文章には、この時代の文部省が、教育機会の均等と教育財政の確立とをどのように結びつけて考えていたのかを明瞭に示す文言が満ちている。義務教育費国庫負担法が準備されていた一九五二（昭和二十七）年のことである。

教育機会の均等と教育財政の基本理念との関係について述べたこの資料は、義務教育における機会の均等の理念を分析する上で貴重な史料と見なしうる。ここでは、この内藤の文章を追うことで、標準法の世界の成立が、教育機会の均等とどのように関係していたのか、そのロジックをとりだすことにしよう。

この講習では、「教育財政の理論」として、「教育原理を基礎とした」考え方が示される。そこで内藤はつぎのようにいう。

この（戦後の）教育改革は、次に述べる二つの基本理念に立脚し、深くその根底をなしている。すなわち、

（1）教育は民主主義国家に於いて第一義的なものであること。

（2）民主主義社会は、人間に対し同じ地位を与えることであり、教育においては機会均等を保障し、その保障は財政的裏付によって始めて可能であること。

（3）教育の民主的改革と教育財政上の基本理念は、人類多年にわたる自由の獲得の努力の成果を現在及び将来の国民に対して侵すことのできない永久の権利として保障した日本国憲法の精神とその軌を一にするものである。憲法及び教育基本法はこの基本理念に則り、教育の機会均等の原則をうち樹《た》てて、人種・信条・性別・社会的身分・経済的地位及び門地によって差別されることなく、義務教育無償の原則、能力ある者に対する経済上の保障の理想を規定したのである。このことと共に、年限延長に伴う教育の量的発

展と、質的向上の要求とは、やがて教育財政に対し頗《すこぶ》る高い地位を与えることとなり、又重い責任と義務とを附与する結果となったのである。（全国教育財政協議会編一九五二、一五～一六頁）

「民主主義社会は、人間に対し同じ地位を与えることであり、教育においては機会均等を保障し、その保障は財政的裏付によって始めて可能である」。ここに明瞭に示されているように、教育における機会均等の保障は、財政的裏付けが不可欠だという認識が、一九五〇年代初頭の教育財政の研究会の場で表明されていたのである。

さらに内藤は、そのためには教育財政の独立が重要だという。

特に教育に対する施策は継続的支出を要するものが多く、また教育費の諸経費は他の行政費に比して比較的多額を占めて居《お》り、教育の効果を充分に発揮せしめる為には、一般経費と異なる財政的配慮が必要なのである。しかしながら、（中略）一般会計の費目に従って処理されているのであって、これでは教育活動を適確に把握し、それの財政的保障を為す使命を果たし得ないのである。（全国教育財政協議会編一九五二、四〇頁）

すでに述べたように、この時点では、教育財政の仕組みは、義務教育費だけに特定できない、「ひも付き」ではない平衡交付金を通じて財政調整が行なわれていた。だが、それではだめだと内藤は言うのである。教育活動への「財政的保障」をするためには、教育財政は一般財政から独立させることが不可欠だとの認識である。その理由は以下のとおりである。

以上のような理由から教育財政は一般財政から分離独立して、その収入の確保と支出の適正が期されなければならない。まことに教育財政は民主社会の重要機能たる教育に対する財政的保障を為すものであり、その保障の如何が教育の内容と効果を決定するものであり、延《ひ》いては民主社会の発展を左右するものである。従って教育そのものの特質からしても、教育財政の財政的特質からしても、それは他の一般財政より区別された独自の立場と方法とを持たねばならない。（全国教育財政協議会編一九五二、四〇頁）

このような主張を、縦割り行政における文部省の権限拡大の論理だということもできる。それでも、先に見た地域間の教育格差の実態をふまえれば、「民主社会の発展を左右するもの」としての教育という主張には、当時としても一定の説得力があった。戦後日本の再出発にあたり、新たな教育は、戦後社会の新たな担い手の育成にとって重要な礎《いしずえ》となるという認識があったからである。戦後社会の礎のそのまた土台となる教育財政を確たるものにするという主張は、財政上の地方分権化が理想どおりには進まない状況の中で、正当性の根拠となったのである。

等量等質の教育環境

それでは、独立した教育財政を確立することによって、どのように教育の機会均等は保障されるのか。戦後の教育にとってまさにその基礎を形成することになるその内実は、以下に見るように、教育財政の基盤づくりという、お金＝資源の配分の原理と絡み合って成立していくことになる。その立役者ともいえる内藤の言葉を追っていこう。

あらためて言うまでもなく教育の機会均等を保障するためにはすべての児童、生徒に等量等質の教育環境を与えなければならないのである。等量等質といっても機械的な悪平等ではなく各学校の特殊性を勘案した上で考えられたものであり、これを具体的に言えば教職員、施設、設備、教材教具その他の質と量になる訳であるが、これらが真の意味で与えられなければならない。この等量等質というのは最低線における等量等質のことであってそれ以上についてはできるだけ高い方がのぞましい。また最低の意味では量より質も重要

となるのである。(全国教育財政協議会編一九五二、一一〇頁)

ここでのキーワードは、「すべての児童、生徒に等量等質の教育環境を与えなければならない」である。しかも、ここでいう「等量等質の教育環境」は「教職員、施設、設備、教材教具その他の質と量」ということであり、「等量等質というのは最低線における等量等質のこと」だという。つまり、「等量等質といっても機械的な悪平等ではなく」、「最低線」を国が保障することが求められているのである。

この文言の意味は、その後の教育政策を具体化する上で、一つの重要な方向性を示す、ベースとなった考え方に通じている。「機械的な悪平等」ではないと付言されるものの、「教職員、施設、設備、教材教具その他の質と量」を平等にするために、国による財政保障を行なうという主張には、前章で見たアメリカの州政府による教育条件の不平等への改善策の考え方との微妙な違いが示されていた。なるほど、アメリカにおいても当初の議論では、「州内のどの子どもたちに対しても等しい教育施設を画一的(uniform)に保障しようと努めなければならない」との主張が見られた。だがその後は、教育の個人化の思潮とも相まって、個人間の差異を前提に多様な教育を通じた教育機会の平等という考え方へと連なっていくようになる。それに比べ、すでに一九五〇年代に至った時点でも、日本の教育行財政の責任者が念頭に置いていた「教育の機会均等」の保障は、アメリカでいえば一時代前の「等しい教育施設を画一的（uniform）に保障」するというロジックにとどまっていたのである。

最低学校基準

それでは、その「最低線」はどのようにして引かれるのか。等量等質の最低線と教育財政とを結びつけるのはいかなる論理だったのか。そのつながりを見ていくことで、私たちは通常見過ごされがちな、お金の配分の原理と、実際に提供される教育の考え方との接点を見つけ出すことができる。

ここで登場するのが、「標準化」による「最低基準」の設定という考え方である。このロジックこそ、その後の日本の教育と社会の編成を考える上で重要な手がかりとなる論理である。内藤は言う。

さて問題はこのような最低限の意味における教育基準を考えることになる。この最低基準を経費によって考える時、最低教育費を考えることができる。現在学校財政の確立に当たってもっとも重要な点はどれだけあれば教育を行うことができうるのかのミニマム・ニードの問題である。この点についての研究は不十分であり、地方財政平衡交付金制度にあっては教育費の基準財政需要額を算定することになっているが、これはあくまでも純財政的にとりあげたものであって教育的需要を正確に表現したものではない。

ここに最低教育費を構想しなければならない大きな理由がある。最低教育費を測定するには各学校の実際の経費を分析し標準化し、これらを組み合わせて算定することが最も妥当であろう。(全国教育財政協議会編一九五二、一一〇頁)

「最低限の意味における教育基準」を、実際の経費として「分析し標準化」することで、「最低教育費」を算出できる。そして、そうして算出された最低教育費を国家が保障することが、教育財政上、教育の機会均等を実現することにつながる。それだけに、いかにして「最低限の意味における教育基準」を設定し、そこに財政的な表現を与えるかが、教育の機会均等を保障する上での重要な課題となる、というのである。そして、続けてつぎのようにいう。

すでに述べたように、この経費はすべての学校の内容によって規定されるのであるから、最低教育費とは最低学校基準の貨幣的表現に他ならないのである。(全国教育財政協議会編一九五二、一一〇頁)

「最低教育費とは最低学校基準の貨幣的表現に他ならない」。この言辞に込められた理想は、達成されるべき教育の機会均等がいかなることを意味するかを明瞭に物語るものである。すなわち、「最低学校基準」に財政的な裏付け＝「貨幣的表現」を与えること。それが、「すべての児童、生徒に等量等質の教育環境を与えなければならない」戦後教育の課題に応えることだというのである。

「分離独立」した教育財政の仕組みをつくり上げる上でも、さらには、教育機会の均等に教育的な論理に基づく内実を与えるためにも、最低学校基準をつくり上げていかなければならない。こうして、学校基準の策定＝教育条件の標準化（ないしは基準化）という手続きをもって、「教育の機会」と教育資源の配分の仕組みとが結びついていくのである。その結果、均等化されるべき教育の機会は、基準化されるべき教育条件として、その中身が考えられるようになっていく。教育条件の基準化こそが、「最低教育費」を算出するために不可欠の作業であり、そのようにして「貨幣的表現」を与えられた「最低学校基準」を全国津々浦々の学校に適用していくことが、教育機会均等の実現と見なされるようになっていったのである。

だが、問題は、ここでいう「最低学校基準」がどのようなものをうちに含んでいたかである。それというのも、そこで想定される「基準」のカバーすべき対象がどこまで及ぶかを見ることによって、教育の在《あ》り方のうち、どの部分までを「等量等質」にすべきだと考えられていたかが明らかとなるからである。「等量等質」という考え方にしたがって、まさに、「貨幣的表現」として実現すべき「教育機会」の中身が示されるのである。

それでは内藤はどのように考えていたのか。内藤はいう。

学級の編成、教員の配当についての基準、給与の最低基準、施設、設備その他の基準、その何《いず》れを考えても難しい問題である。従来ともすれば予算の面から逆に作られた現実には対等に、いわば教育の面からその基準を作るわけである。こうして作られた基準と現実の財政乃至《ないし》経済がどのように結びつくかは自らまた別の問題ではあるが、この両者が安易な妥協をするのではなくて、できるだけ高い基準を実現させなければならない。（全国教育財政協議会編一九五二、一一二頁）

ここに示されているように、学級編成、教員の配当、給与、施設・設備など、「最低学校基準」としてカバーすべき領域は多岐にわたる。しかも、「教育の面からその基準を作るわけ」であるから、「できるだけ高い基準を実現させなければならない」とされる。教育の機会均等に貨幣的表現を与えるべき教育条件の基準のリストが、こうして考案されていったのである。

それだけではない。内藤はカリキュラムにも言及し、その基準性が必要なことを指摘する。

学校の基準は各学校の具体的なカリキュラムによって決定されるものであるから、何よりも先に標準的なカリキュラムを考えなければならない。その点については現在研究が進められているミニマム・エッセンシャルズの成果に俟ちたいと考えるが、教科を中心としてあらゆる面における最低必要量の基準を作成することは、言うや易くして行うことは実に困難であろう。しかしこの研究こそ早急に急がねばならない問題であり、教育者の手によってのみなされるものなのである。（全国教育財政協議会編一九五二、一一二頁）

この問題の究明なくしては最低教育費の科学的合理的測定を望むことはできない。勿論短時日の間に成果をあげることはできないであろうが、一日も早く一応の試案を作りあげこれをよりよい基準にまで高めるために、教育関係者の積極的な研究をお願いしたいと思う。（全国教育財政協議会編一九五二、一一二頁）

カリキュラムを含んだ学校基準の設定によって、その「貨幣的表現」は教育機会の均等の内実をも財政的に保障することが可能になる。「財政的裏付」を与えられた教育機会均等の実現は、教育費や教育施設・設備といった「外的事項」にとどまらず、こうした教育内容の基準化=国家統制を伴って、構想されるに至るのである。そして、この文章が発表された六年後に、第一章でみた学習指導要領の改訂が行なわれることになるのである。

3 標準法の世界——日本的な平等へのアプローチ

暗黙の前提

義務教育費国庫負担制度は、このような「財政的裏付」を、他の地方財政の仕組みから切り離し、教育財政として「分離独立」させるのに一部成功した制度である。しかし、機会の平等への日本的アプローチを特徴づけているのは、この制度単独ではない。というより、これまでの検討からも明らかなように、「最低学校基準」の設定構想と相まって、義務教育費国庫負担制度は、「教育機会の均等」に財政的裏付けを与えるものとなる。とりわけ、この制度と車の両輪のようにして働くことになる義務教育標準法と組み合わされることで初めて、「教育機会の均等」を実現すべき、公教育費の日本的な配分の仕組みができあがるのである。その意味で、これから明らかにする「標準法」の成立の歴史こそ、〈システム〉の設計図がいかに描かれたのかという問いに答えるための中心的なターゲットとなる。

ところで、「標準法」という名が示すように、この制度は、公教育費の配分と深く関係しながら、まさに教育の諸条件を標準化＝基準化するためのものであった。そして、私たちはこの制度と、それが受け入れられていった時代背景のなかに、他の領域にも通底する日本的な平等へのアプローチのしかたと、その根底にあるロジックとを見出すことができるはずである。

それでは、標準法とはどのような制度か。そして、それが導入された経緯はいかなるものであったのか。

一九五二年に成立した義務教育費国庫負担法には、この法律の目的として、「義務教育について、義務教育無償の原則に則り、国民のすべてに対しその妥当な規模と内容とを保障するため、国が必要な経費を負担することにより、教育の機会均等とその水準の維持向上を図ること」が謳われた。つまり、義務教育の「妥当な規模と内容」を保障し、「教育の機会均等とその水準の維持向上を図る」ために、その経費を国が負担するという一歩つっこんだ法制度を用意することで、教育の機会均等を実質化しようとしたのである。

そのための「妥当な規模と内容」を標準として示そうとしたのが、「標準法」であった。文部省で当時この法案の作成に関わった佐藤三樹太郎《みきたろう》は、「国庫負担金制度の特色が確実な財源賦与《ふよ》を実現する」ことにあると見た上で、そのために何が必要とされているのかを、つぎのように述べていた。

一定の計画のもとに、一定の水準に対して確実ということであり、この国庫負担法では、そのような目標とか基準に対して、地方が努力した経費（実支出額）の二分の一を確実に負担金として交付するということでなければならない。そこでこの国庫負担金が狙っている一定の目標とか基準がなんであるかという問題が生じる。これには、もちろん教育の機会均等とか義務教育無償の実現のために、国民に対してその妥当な規模と内容を保証するという目標がある。ところが今日義務教育の規模とか内容がいかなるものであるべきかという点が、具体的にかつ制度的に明確になっているであろうか。残念ながらこれが法制的に完備されていない実状である。（小川一九九一、二五六頁より引用）

国庫負担制度は再建された。ただし、「妥当な規模と内容を保証する」といってもその基準が決まっていないというのである。そうした「基準」が確立され、「しかもこの国庫負担がそれへ向かっての財政保障となってこそ、この制度の真価が発揮されることになる」（小川一九九一、二五六頁より引用）というのだ。

ここには、教育のある基準を設定することが、「教育の機会均等とか義務教育無償の実現」に内実を与えるだけではなく、「一定の計画のもとに、一定の水準に対して確実」にそれが実現され続けることを保障しようとする「財政的裏付」が伴わなければならないという考えが示されている。こうして、均すべき教育の内容や条件の基準となるべきもの＝教育機会の内実に「貨幣的表現」が与えられるようになる。「基準」の設定によって初めて、資源配分の実際との関係があらわとなるのである。

一見あたりまえに受け取られかねない関係だが、ここでいかにその「基準」を設定し、それを財政と結びつけるかをめぐっては、実際には、それぞれに異なる教育の考え方に従って、さまざまな方法が可能である。そのうちの一つを選び取り、制度化する。こうして教育の基準と財政とを結びつける、選び取られた一つの方法がもつロジックの中に、当該社会の教育についての考え方や、均等にすべき教育機会の内実を輪郭づけている〈暗黙の前提〉が埋め込まれることになる。税金によって運営される公教育にとって不可欠のこうした関係づけの中に、私たちは当該社会の教育機会の均等を支える暗黙の前提――隠れた設計思想――を読み取ることができるのである。

しかし、こうした前提は、必ずしも当初から意図されたものとは限らない。はじめからある考え方があって、それが貫徹し実現したというわけではないのである。むしろ、これから見るように、さまざまな制約条件や、それらの条件の変化の中で生み出された具体的な方法が、ここでいう暗黙の前提を次第に形作っていったというほうが歴史に対し忠実であろう。さまざまな歴史的な条件の下で選び取られた具体的な方法と、それを支えるロジックがどのように形成されていったかを見ることで、私たちは、そのようなロジックを受け入れていった戦後日本の教育と社会の特徴に迫ることができるのである。

三本立ての算定方式

標準法とは、義務教育段階の小中学校における、学級定員の上限を定めることで、児童生徒数に応じた学級数の算定を可能にし、それをもとに必要な教職員の数を算出する、その根拠を義務教育の全国的な基準として定めた法律である。こうして算出される教職員数は、国立学校の教職員の給与表等の取り決めの準用と合わさって、それぞれの都道府県ごとに必要とされる義務教育の人件費部分の算出根拠を提供する。そして、それが、義務教育費国庫負担金、および一般交付税の基準財政需要額を決める根拠となる。

こうした説明だけでは、そのどこが平等主義へのアプローチの日本的特徴を示しているのかわかりにくいだろう。一見するところ、取り立てて問題とするような事柄ではないという印象を与えるかもしれない。しかし、他の先進国では、この当時も現在も、生徒時間のようなユニットコストをもとに算出された生徒一人あたりの費用を計算し、生徒数に応じて教育費を配分する仕組みが取られている。学級定員の上限を決め、そこからコストを計算する日本のやり方は例外的なのである。

なるほど、どの国でも、生徒一人あたりの教育費を計算することはできる。いわゆる「生徒一人あたり教育費」であり、「パーヘッド（一人頭）」として算出可能な数字である。しかし、こうして計算できる数値と、そもそも教育費の配分を、生徒一人あたりの費用を単位として計算し配分することとの間には違いがある。あとで詳しく見るように、日本の場合には、生徒一人あたりの費用は計算できるが、それがそのまま教育費配分の計算単位となっているわけではない。そこで、たんなる結果として計算できる生徒一人あたり教育費とは異なり、パーヘッドを配分の原理とする方式をここでは「パーヘッドの世界」と呼び、戦後日本で誕生した「標準法の世界」と対比させることにしよう。

「パーヘッドの世界」と「標準法の世界」とは、平等の考え方の根本において、大きく異なる原理に立つ。一方は「個人」を単位に資源配分の平等を考える原理に立ち、他方は、学級や地域といった集団的・空間的な集合体を単位に資源配分の平等を考える（＝「面の平等」）。単純化して言えば、平等の単位として何を設定するかの違いであり、個人の差異をどれだけ際立たせるかという違いでもある。このような違いが、社会と教育にどのような影響を及ぼすことになるかについては、第五章で詳しく論じる。

資料を見ていくと、実のところは、当時文部省の側では、最初から標準法の世界の構築をめざしていたわけではなかったことがわかる。内藤誉三郎は「小、中学校費の単位費用は、生徒数、学級数、学校数の三本立てとなっているが、本来は生徒数一本で、小規模の学校又は市町村の場合には、特別の補正を用いる方が、望ましいが、我国の義務教育の現状では三本建《ママ》ても止むを得な」かった措置だったという言葉を残している（内藤一九五〇、一九〇頁）。内藤によれば、本来あるべき姿ではないという認識だったのである（註1）。つまり、本来であれば、他の先進国と同じように、合理的・科学的に生徒一人あたりの単価費用を計算し、それに応じて生徒数を乗じて、教育費の計算と配分が行なわれなければならないと考えられていた。ところが、それが許されない厳しい財政事情のもとで、現状追認的に、今ある学校数、学級の数を考慮に入れて、「三本立て」で教育費を算定しなければならなかったというのである。

それぞれの地域にすでに学校があり、そこに通学する児童生徒がいることを前提に、限られた財源を使って、教育条件を「逆算」する。一クラスあたりの生徒数をあるべき理想の数としてではなく、あくまでも財政的に負担可能な数として算出する。そういう「やむを得な」い苦し紛れの事情によって、「パーヘッドの世界」とは異なる原則が立てられ、義務教育の標準化がスタートすることになった。一人あたりの教育費を同じようにしようにも、地方の財政力によって、お金のない地方ほど子ども一人あたりに十分な教育費をかけることができない、そういう地域格差の実態を制約条件として受け入れた末での苦肉の策であった。こうした制約条件のもとで、日本的な資源配分の仕組みが誕生したことは、この制度の設計に直接かかわった文部省の佐藤三樹太郎がその著作を通じて、アメリカとの比較を念頭に、つぎのような説明を与えている。やや長いが、以下の考察にとっては鍵となる重要な指摘なので引用する。

教員の適正な負担量を前提として、望ましい教員数を算定する方法を考える場合に、その基礎（単位）をなにに求めたらよいかという問題がある。これには、ひとつの方法として、教員数を学級数の単位で算定する方法、つまり学級あたり教員数の算定方法があり、他の一つの方法としては、児童・生徒数の単位で算定する方法、つまり一教員あたりの児童・生徒数で算定する方法とがある。

学級あたり教員数の算定方法というのは、わが国が現在義務教育学校について採用している方法であり、一学級あたりx人の教員という割りだし方をいう。もちろんこれには単純な平均比率による場合と、学校の規模に応じて、y学級の場合はx人、y′学級の場合は

x′人というように規模ごとに定員をきめる場合とが考えられる。一学級に、必要な教員数をキメ細かく適確に算出するには、後者の方がよいとされている。したがって、各都道府県が現在、管下の小・中学校に対して教員を配置する場合はこの方式をとっている。(佐藤一九六五＝二〇〇二、六九〜七〇頁)

わが国が現在採用している教員定数あるいは教員の配置基準は、およそ右のような思想で、学級あたり何人と定める慣行がとられているが、この方式には、一学級の児童・生徒数の多い少ないを全く無視するという欠点があるといわなければならない。(佐藤一九六五＝二〇〇二、七二〜七三頁)

ここに示されているのは、内藤が先に「生徒数、学級数、学校数の三本立て」といった日本的な教員の配置基準のことである。それが「一学級の児童・生徒数の多い少ないを全く無視するという欠点」をもつ制度であることを佐藤は明確に認識していた。

パーヘッド(一人頭)の世界

それに対し、アメリカは違うと、佐藤はつぎのように解説する。

第二の問題としては、児童・生徒数を基礎として教員の数を算定するとしても、その場合の一教員の授業時間をどう抑えるのかという問題が残る。これを全く無視して、教員一人あたりx人とかy人と定めても教員の負担は一定しないことになる。

ところがアメリカにおいてはPupil-Hours（生徒時）という用語が用いられており、これによると、一日四〇人のクラスを三時間指導すれば、教師の負担は一二〇生徒時の負担料と計算され、これは三〇人クラスを四時間指導する場合の負担とまったく等量の負担であるという考え方がとられている。

したがって、この考え方では、一人の教員の生徒時が一日いくらであれば適正な負担となるかということが問題となるわけで、アメリカではこれがおおくても一五〇生徒時、理想的には一二〇生徒時であるべきである（中学校の場合）というような主張がある。

もし一クラス三〇人とすれば、一日五時間ないし四時間の授業が望ましいと言うことになるわけである。こういう考え方が成り立つとすれば、このことから生徒の一日の授業時間数を基礎として所要の教員数が算定される。たとえば一クラス三〇人として、どのクラスの生徒も一週三〇時間の授業をうけるとすれば、一クラス当たりは九〇〇生徒時となり、これを一五〇生徒時で除すれば延べ六人の教員となる。したがって、生徒三〇人について一人の教員が適当であるという Ratio が考案されることとなる。

諸外国において、教員数の算出方法を児童・生徒数によるいわゆる Pupil Teacher Ratio としているのは、その背後に右のような思想があるものと思われる。

だから、諸外国においては、学校ごとの児童・生徒数から、まず教員数が算出され、校長がその与えられた教員数を基礎にして学級を編制し、担任時間を割りふるというような方法で学校経営が行われていると聞く。その際一クラスの編制人員には一定の限度があり、これがいわゆるクラス・サイズ（学級規模）と呼ばれているようである。（佐藤一九六五＝二〇〇二、七四〜七五頁）

ここに示されているのは、生徒一人あたり、というパーヘッドの思想に他ならない。そしてその根拠となるのが、「Pupil-Hours（生徒時）」という、教える生徒の人数によって教育労働の基準単位を考える思想である。これこそ、第二章でアメリカの歴史を検討した際に明らかとなった「生徒時間（Pupil hour）」にほかならない。

佐藤は続けていう。

いずれにしても、諸外国では、このように教員定数を算出する方法としては、直接児童・生徒数から割り出す方式が採用されているようであるが、この考え方は、教員一人一人の負担は、適正な児童生徒数を単位としてのみ想定できるという思想にもとづくものとみなければならない。したがって、わが国のように、学級を固定化し、しかも、同学年編制でなければならないという考え方にたつ限り、このような教員算定方式はなじまないというのが実感であろう。（佐藤一九六五＝二〇〇二、七七頁）

こうした学級規模と教員定数の算定方法の違い（欧米と日本）には、ここで書かれている以上の意味合いが潜んでいる。すでに第二章で検討したように、「生徒時間（pupil hour）」の考え方の背後にあるもう一つの前提は、カリキュラムや教授法の個別化に対応できる、ないしはカリキュラムや教授法の多様性を考慮のうちにいれた、教授という教育労働の「数量化」の発想であった。教育と学習の個人化＝個別学習への対応を念頭に置けば、生徒時間（pupil hour）の考え方はきわめて合理的である。そして、それに基づいて教育に財政的な裏付けを与え、個別学習や多様な学習を前提に、教育条件の平等化を図ろうとする考え方にもつながっていく。学習の個人化をも視野に入れることのできる、教育機会平等の「貨幣的表現」の基準＝単位設定である。

それに対して日本の場合はどうか。「一学級の児童・生徒数の多い少ないを全く無視」しても、学級定員から教員数を算出する日本の方式では、暗黙のうちに一斉授業や共通のカリキュラムを前提にしている。前提にしているというのが言いすぎだとすれば、一斉授業やクラス内の生徒に共通するカリキュラムと親和性を持つ、と言い換えてもいい。この制度が設計された当時、実際の一学級あたりの児童生徒数は、五〇人を優に超えるものであった。五〇人以上の「すし詰め学級」が全国の学級全体の三分の一もあったというのである（佐藤、木田一九八七、三二九頁）。五〇人を超える子どもを相手に、個別的な学習を行なうのは至難の業と言わねばならないだろう。学習の個別化を進めようにも、それだけの教育条件を準備できるだけの余裕がなかったのである。そのことから考えても、学習の個別化の原理とは異なる「学級」における教授学習の原理との関係において、こうした算定方式が考えられたと見ることができる。

さらにいえば、これは鶏と卵の関係に似て、どちらが先にあったかは明確にいえないところだが、日本の場合には、「等量、等質の教育の提供」をもって「教育機会の均等」と見なす、一定の教育機会均等観がそこに反映していたという見方もできる。これは、第二章で見たアメリカの「教育機会の均等」の考え方と必ずしも同じものとはいえない。アメリカの算定方式にならえば、個別学習を可能にする「生徒時間（pupil hour）」の考え方を背景においているから、極端に言えば、「非等量、非等質の教育の提供」こそが、それぞれ個々の生徒のニーズに応じて「教育の機会均等」を実現するための「財政的裏付け」＝教員数の算出方法＝教育の人件費の算出方法となりうるのである。

これに対し、戦後日本が編み出した、「標準法の世界」では、カリキュラムの基準化をも含み込み、学級規模を基準化することで、共通の教育内容を一斉に教えることを、全国どこの学校でも同じ学年の児童生徒に保障する。それを教育機会の均等の実現と見なす。標準法は、こうした均等化＝共通化の平等観となじみやすい資源配分の算出方法であった。言い換えれば、教育の標準化を共通化として推し進める平等観と相補的な関係にあったということである。どちらがどちらをつくり出したのか。その因果関係を確定することはできないのだが、両者が互いに補い合う関係にあった点は指摘できるだろう。そして、両者が共鳴し合うロジックを互いにもっていたところに、日本的な機会の平等を展開させる合力の形成があった。

しかも、これらのことを財政的に保障する制度として、義務教育費国庫負担金や一般交付税における基準財政需要額の算定方式の改正という教育財政の仕組みがつくられていった。標準法に裏付けられた教育財政配分の仕組みと、それをもとに算出された「最低教育費」こそ、日本的な教育機会の均等を実現するための「貨幣的表現」となったのである。

人口動態というもう一つの条件

行政担当者の当初の意図どおりに「標準法の世界」が成立したわけではないにもかかわらず、さまざまな制約のもとで、日本的な配分方式が編み出されてきたことを見てきた。こうした制約によって、ある教員配置の編成方式が考え出されたわけだが、もう一つ、行政当局の意図を超えた条件の変化があった。人口動態である。ベビーブーマーが学齢期を通り過ぎていくことが、この時期に標準法の世界を成立させる要件の一つとなったのである。

標準法の構想が練られていた当時、文部省としては、現状の教育条件をそのままに「確実な財源賦与」を行なえばよいと考えていたわけではなかった。小川正人の研究が明らかにしたように、「文部省としては、一九五八年以降に、小中学校児童生徒数の減少、横ばい傾向になることを機会に、できるだけ現在の教職員数を減らさないでその余裕分を過大学級の解消と定数配置の適正化に振り向けるという意図をもっていた」（小川一九九一、二五八頁）。つまり、ベビーブーマーが通り過ぎていくという人口動態の変化という条件下で、「基準」をつくっていこうとしたのである。

現状の追認ではなく、学級定数を理想に近づけていく。地域間の格差も是正する。そのために教員数も増やす。それを可能にするのが、この標準法であった。そして、義務教育費国庫負担制度のみならず、一般交付税の算定基準となる基準財政需要額の算定にも組み込まれ

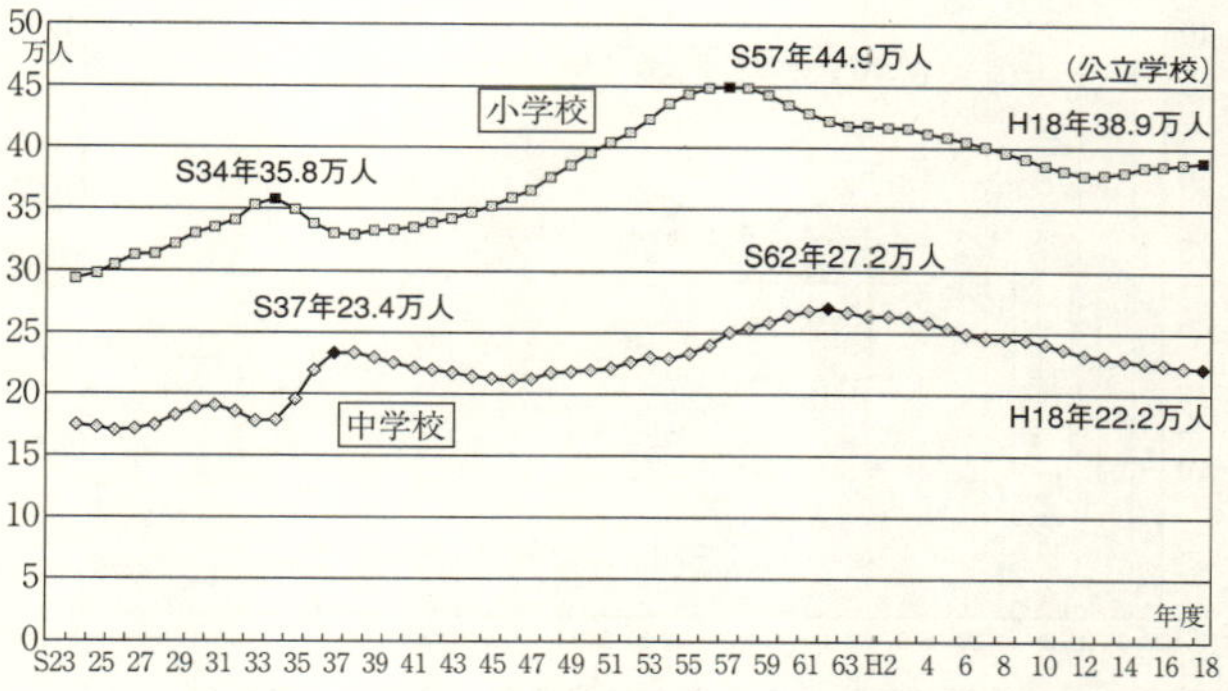

養護教諭・養護助教諭は除く

図３－１　小学校と中学校の教員数の推移

出典：『日本の初等中等教育の状況』文部科学省初等中等教育局（第４版、2006年）

ることを通じて、それに必要な財源を国が保障する。まさに、教育の機会均等の実現の要となる法制度、小川のいう「教育基準と財政基準との一体化」を可能とする制度として、標準法が考えられたのだが、それをスムーズに実現に向けて後押ししたのが学齢期人口の変化であった。

図３－１は、小中学校の教員数の変化を示したものである。教員数は小学校でも中学校でも、昭和五十年代後半まで大きく減少することなく、基調としては増加傾向にある。図３－２、図３－３は児童生徒数と、教員一人あたり児童生徒数（Pupil-Teachers Ratio：ＰＴ比）を示したものである。児童生徒数について見ると、小学校の場合には、昭和三十三（一九五八）年をピークに、中学校ではその四年後の昭和三十七（一九六二）年をピークに、児童生徒数の大きな山

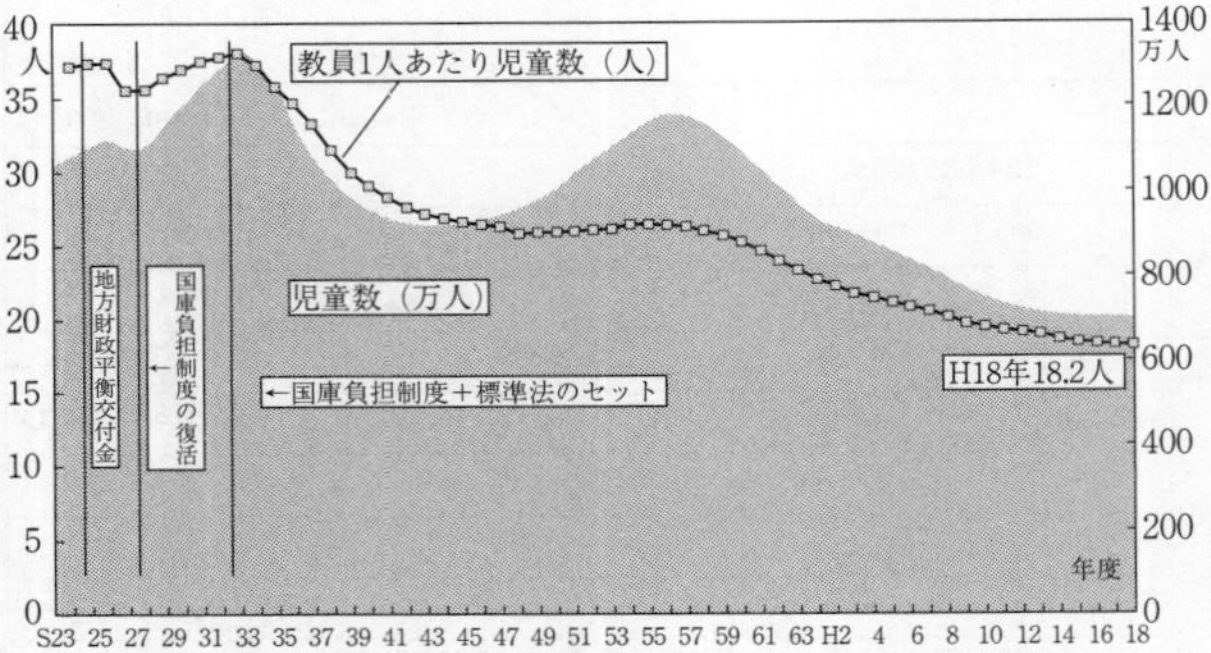

図３－２　小学校の教員１人あたり児童数（ＰＴ比）の推移

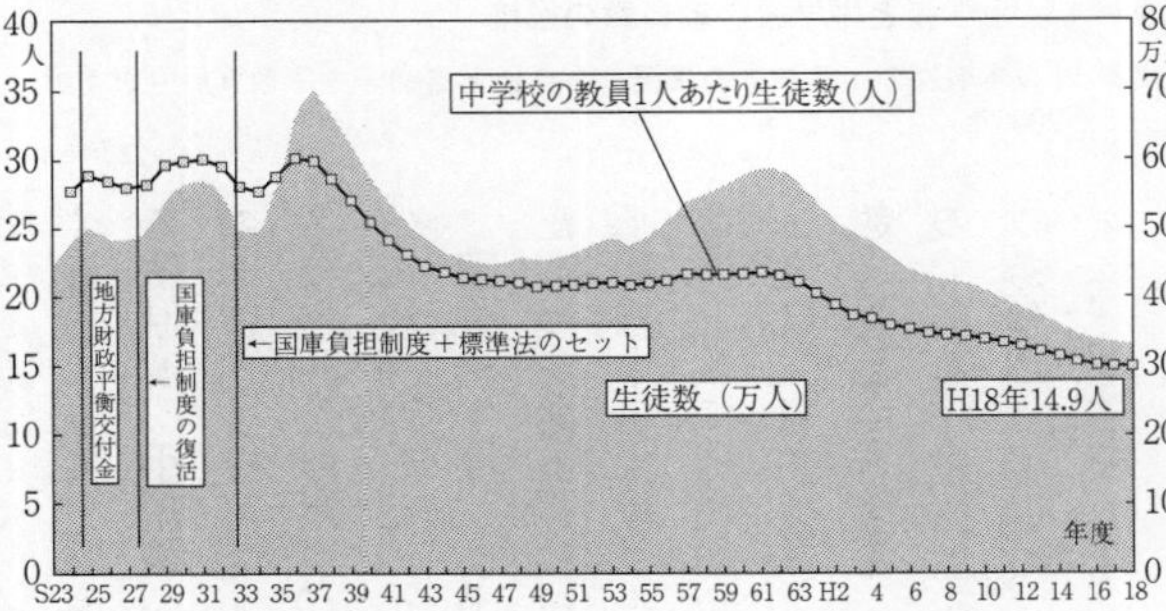

図３－３　中学校の教員１人あたり生徒数（ＰＴ比）の推移

出典：図３－２、図３－３とも、『日本の初等中等教育の状況』文部科学省初等中等教育局（第４版、2006年）

が過ぎていったことがわかる。この変動に比べ、図3－1で見た教員数の減少幅ははるかに小さい。その結果、図3－2、図3－3が示すように、教員一人あたりの児童生徒数の推移を見ると、児童生徒数のピークが過ぎた後で、人数が減少し、結果的に教育環境の改善が見られるようになっている。

定員実額制

このような人口変動が標準法の世界の成立にとって重要な要件であったことは、つぎのような政策決定の過程からも明らかとなる。

国による標準の設定は、地方自治に抵触する可能性を持つ。財政の権限も集権化に戻ってしまう。その意味で、自治庁（当時）は、こうした文部省の動きに必ずしも賛成する立場にあるとはいえなかった。また、予算増が見込まれれば、「標準」を法制度化してしまうことで、将来の予算を縛りかねない。そのような点から見れば、財政当局も簡単には認めない可能性があった。

ところが、市川・林の研究によれば、自治庁も大蔵省（当時）も強い反対には出なかったというのである。なぜか。

自治庁側は「五二、五三年以降の財政の極度の窮乏からようやく立ち直り始めた地方団体が、一般にその間に低下した行政水準の引き上げを志向しており、その一環として義務教育諸学校でのすしづめ学級の解消や、教職員の定数確保も当然とりあげられるはずであったし、児童生徒数の減少に見合って生じる教職員の当然減をそれに充当すべしという文部省や教育界の要求に応じても、そのかぎりでは財政負担の急増をまねくおそれはなく、むしろ将来にわたって定数枠をはめることによって増加をおさえうる、との判断」をもっていたとされる（市川・林一九七二、四四八頁）。

大蔵省も強い反対には出なかった。その理由を市川・林の研究ではつぎのように説明している。

もともと教職員の定数基準設定は、実員実額制が国庫負担の増大をまねくとして大蔵省がかねてから主張してきたところであって、五五年度予算の大蔵原案では定員定額制を前提にした額を計上していたほどであった。それゆえ、教員数を確保充実しようとする方向での定員設定を主張する（中略）文部省案とはむしろ反対の発想から、大蔵省も定員制を主張したのであった。そのうえ五八年以降は小中学校児童生徒数の漸減が予想されるので、将来にわたって教員数の増加はあまりなく、国・地方の財政負担も激増するおそれがないと見通していたせいもあろう。（市川・林一九七二、四四八〜四四九頁）

ここでいわれている「定員定額制」とは、何らかの教職員の定数基準の設定に基づいて算出される教職員定数に、一定の給与表を当てはめることで算出できる教育費の計算方法である。将来の児童生徒数を見込めば、財政当局にとって、なるほど実員実額制（実際に雇われている教員数に給与の実額をあてる方式）は児童生徒数の減少をまったく反映させないために負担増になりかねない。だから定員方式の支持に回ったのだろう。他方、文部省としては、その教職員定数基準の設定如何によっては、むしろ教員数の確保につながる。こうして思惑は逆方向であったにもかかわらず、将来の児童生徒数の減少という予測から、両者は合意に至ったというのだ。

このような経緯を経て、五八年度の予算編成のための概算要求のとりまとめとして、文部省からつぎのような要求が提出された。

（1）学級編成および教職員定数配置適正化のため「義務教育水準の確保に関する法律案」の提出。／（2）（1）にもとづいて教職員の増加を要求するが、五八年度には生徒減による中学校教員の減少分一万一〇〇〇人を学級編成と定数配置の適正化にふりむけ、小学校の学級編成の適正化は次年度以降にまわして定数配置のみ六八〇〇人増加、事務職員五〇〇〇人増加で小中学校合計二万二八〇〇人、国庫負担増四〇億円の要求となる。／（3）（略）（市川・林一九七二、四四七頁）

このような特徴をもった標準法について、市川・林の研究ではつぎのような評価を下している。

この法律は学級編成と教職員数とをからませて標準をさだめたものとしては、はじめて体系的に作成されたものであった。ただいつまでにこの水準に達すべきかが定められていないが、小・中学校児童生徒数の減少する六一〜六二年には、たいした財政負担の増大なしに実現しうるものと予想していたようである。そして、それが実現してほぼ全国が平均的なレベルないし最低水準以上のレベルに達したとき、その標準的な組織に標準的な給与をからめれば、それは定員定額制が容易に出現することを意味するであろう。もっとも実際には定員定額制が実現することなく、六四年にいたって定員実額制が成立したのであるが（後略）。しかもその六四年の改正も実質的には現実の事後承認といった内容のものであった。（市川・林一九七二、四五〇〜四五四頁）

この評価に如実に示されているように、人口変動による児童生徒数の減少に助けられ、「たいした財政負担の増大なしに」、定員実額制が成立したのである（註2）。

ここにもまた、時代的な背景が、日本的な標準化の制度化を後押しした形跡を認めることができる。

次善の策

ベビーブーマーの通過という時代的な背景のもとで、すでに雇用している教員数を減少させないことで、全国的にみれば、教員の処遇においても、学級定数においても、教育環境の均質化が進んでいく条件が整えられた。理想とは異なる「三本立て」という算定方式を土台にした「標準法の世界」であっても、こうした児童生徒数の減少と、すでに雇用した教職員数のバランスによって、地域間の教育環境の格差を縮小すると同時に、全体の教育条件の改善を図る道が開かれようとしていたのである。

しかしながら、このようにして成立した「標準法の世界」は、当初からそのようなものとして設計されたものとは言い難い。少なくとも設計者たちにとって見れば、資源不足のもとでやむを得ず選び出された次善の策であった。しかも、その次善の策が教育条件の均等化に資するようになるためには、学齢期人口の大変動という時代背景の力を借りなければならなかった。パーヘッドの世界の財政配分方式に従っていたら、児童生徒数の減少とともに、教育費が大幅に削られるということがあったのかもしれない。もちろん、実際には、こうした人口変動の時期とほぼ重なるように、経済の高度成長が始まり、税収増を背景に教育費の支出も増えていくのではあるが、それもまた教育政策にとっては、外生的な環境の変化であった。

こうした外部環境の変化をも助けとして、「標準法の世界」は、「面の平等」を生み出していく。教育の標準化を、教育の均質化や均等化へと向かわせるベクトルが形成されていくのである。そうした変化の総体が、日本的な教育の機会平等の実現過程となっていくのだが、それを作動させる基盤の設計図こそ、本章が描き出した「標準法の世界」誕生の歴史であった。

忘れ去られた〈システム〉の「歴史」の淵源をたどった後で、次章ではそれがいかなる機会の平等をつくり出すことになったのか、その展開史を追っていくことにする。

註

1、この説明は、標準法に向けられて書かれたものではなく、平衡交付金の基準財政需要額の算定基準の説明で登場した言葉であるが、教育の基準について、当時の文部省の考え方を示していると思われる。その後標準法の成立によって、一般交付税における基準財政需要額の算定は、教職員数と学校数を測定単位とするものに変わっていく（佐藤一九六五＝二〇〇二、一九三頁）。それというのも、教職員数の算出自体が、標準法の成立によって基準化されたからである。したがって、標準法成立以後も、児童生徒数と学級数と学校数の三要素が、依然として費用計算の根拠であり続けたということができる。

2、義務教育費国庫負担法では、その第二条で、義務教育諸学校の教職員給与費の「実支出額」の二分の一を国が負担すると規定している。その意味で、「実額制」をとっている。ただし、教育行政学者の三輪定宣の指摘によれば、「国庫負担の最高限度額を定める政令（限度政令）により、『特別の事情』の場合、『実支出額』の『最高限度』が定められており、給与や定数が限度を超える場合、超過分は国庫負担の対象とならず、都道府県単独で給与費を負担（超過負担）しなければならず、このため財政面からそれらの法令遵守を余儀なくされ、半ば『定員定額制』となっている点に注意を要する。／『最高限度』は、教職員定数については、標準法に依拠して決定される。給与単価については、従来、国立学校準拠制であったが、二〇〇四年度の国立大学法人化に伴い国立学校が廃止されたため、同年度からは『国家公務員の俸給、人材確保法第三条により講じられている措置及び当該都道府県における経験年齢別の教職員の実数等を勘案』し、いいかえれば、財務省の予算査定により決定されることになった」（三輪二〇〇七、六一―六二頁）。三輪の指摘にもあるように、定数については標準法の定めがあるが、給与費については最高限度を超える場合に、「定額」があてはめられている。定額制と実額制の違いはそこにある。

第四章　「面の平等」と知られざる革命

一九五〇年代を通じて、その後の日本の教育と社会を特徴づける「標準法の世界」が制度化された。それは、明治以来、日本の教育にとってトラウマともいえた地域間格差の問題を是正するために、教育財政の仕組み（義務教育費国庫負担制度）と、教育資源としてもっとも重要な教員の定数・配置に関する制度（「公立義務教育諸学校の学級編制及び教職員定数の標準に関する法律」、いわゆる義務教育標準法）とが、車の両輪のようにして、教育条件の標準化を進める制度の誕生を意味した。

このような標準法の世界は、戦後の教育に何をもたらしたのだろうか。設計図に込められた意図は、そのとおりに作動したのだろうか。あるいは、その作動に影響を及ぼした要因は何だったのか。標準法の世界が、「面の平等」という、日本的な教育機会の平等の実現過程へと結びつくためには、さらにどのような変化が必要だったのか。この章では、標準法の世界の展開の歴史を追う。

1 教育財政の推移と地域間格差

「標準法」以前の世界

第二章では、戦前期には府県間で教育費の大きな格差があったことを見た。それは、正教員比率や教員給与など、さまざまな教育条件の格差を伴うものでもあった。このような義務教育のインフラストラクチャーにおける地域間格差は、戦後になってもすぐには解消しなかった。標準法の世界が成果を生み出すには、一定の時間がかかったのである。また、そのこと自体、標準法の世界が、教育条件の均質化＝教育機会の均等を実現する日本的なメカニズムをうちに含んでいたことを物語っていた。その詳しいメカニズムについては追って分析を行なうが、その前の予備的な作業として、標準法の世界が誕生する以前の戦後の様子を一瞥しておこう。それとの比較によって、標準法の世界の作動がより明らかになるからである。

表4－1は、伊藤和衛が一九六五年に発表した大著『教育の機会均等——義務教育費の財政分析を中心として』に掲げられた表の引用である。一九四九年から五三年までの五年間について、小学校児童一人あたり、および中学生一人あたりの学校教育費（総額）の最高額と

表4－1　都道府県別児童生徒1人あたり学校教育費総額分散度の5ケ年比較

小学校

年度	最高額（都道府県名）	最低額（都道府県名）	平均 A	標準偏差 B	変動係数 B／A×100
昭和	円	円	円	円	%
24	7,558（福井）	3,630（埼玉）	4,912	863	17.57
25	9,526（東京）	4,624（茨城）	6,079	986	16.22
26	11,905（東京）	5,944（茨城）	7,766	1,317	16.96
27	14,421（東京）	7,661（茨城）	9,932	1,500	15.10
28	16,421（東京）	9,723（茨城）	12,248	1,663	13.58

中学校

年度	最高額（都道府県名）	最低額（都道府県名）	平均 A	標準偏差 B	変動係数 B／A×100
昭和	円	円	円	円	%
24	12,733（静岡）	7,445（三重）	9,166	1,245	13.58
25	14,094（東京）	8,702（栃木）	11,166	1,189	10.65
26	17,543（鳥取）	9,932（栃木）	13,451	1,741	12.94
27	19,010（滋賀）	11,139（栃木）	15,095	2,236	14.81
28	20,581（鳥取）	12,302（鹿児島）	16,650	2,062	12.38

出典：伊藤（1965）466頁より。

最低額、平均、標準偏差、さらには格差を示す指標といえる変動係数（標準偏差を平均で除した値。平均値の違いによらず、散らばりの程度を相対的に示す）を示したものである。表を見ると、一九五一年までは最高と最低の県の間に二倍以上の格差が残っていたことがわかる。第二章で見た戦前期ほどではないにしても、一九五〇年代前半までは教育費の都道府県格差は大きかったのである。また、変動係数の値も、〇・一六～〇・一七という大きな値を示していた。貧しい県ほど一人あたりの教育費が少なくなるという関係が戦後も引き継がれていただけではなく、そこでの格差が比較的大きなものであったことをこれらの数値は示している。

もっとも、著者の伊藤は、小学校については変動係数の縮小傾向が見られることに着目し、この間、「均等化の効果は上がりつつある」と見なしていた。そして「教育の機会均等を実質的なものにしつつあると言うことができる」と述べている（伊藤一九六五、四六七頁）。はたして、標準法の世界の成立抜きに、この趨勢《すうせい》がその後も続いたのかどうかは今となっては検証のしようがない。それでも私たちは、教育財政の独立を得た上で、標準法の世界の設計図に組み込まれた「三本立て」の単位費用の計算方式が、その後の展開において重要な役割を果たすこととなったという見立てをもっている。

公的投資の増大

それでは、標準法の世界が成立したことで、都道府県間の教育費格差はその後どのように変化していったのか、その検証に移っていこう。その後の趨勢をみるために、戦前期の数値（加藤一九三二より算出）とあわせて、一九五五年以後はほぼ五年ごとに、児童一人あたり小学校教育費（総額）の都道府県格差を示す変動係数を算出した。その推移を示したのが図4-1である。この図から明らかなように、都道府県間の格差は、戦後一九七〇年までに大きく減少している。一九三〇（昭和五）年には、〇・二六、一九四九（昭和二十四）年に〇・一八だった変動係数は、一九七〇（昭和四十五）年には〇・一を下回るところまで縮小した。元データより、最大値と最小値の差をとると、一九七〇年時点では、最高が東京都の一五万

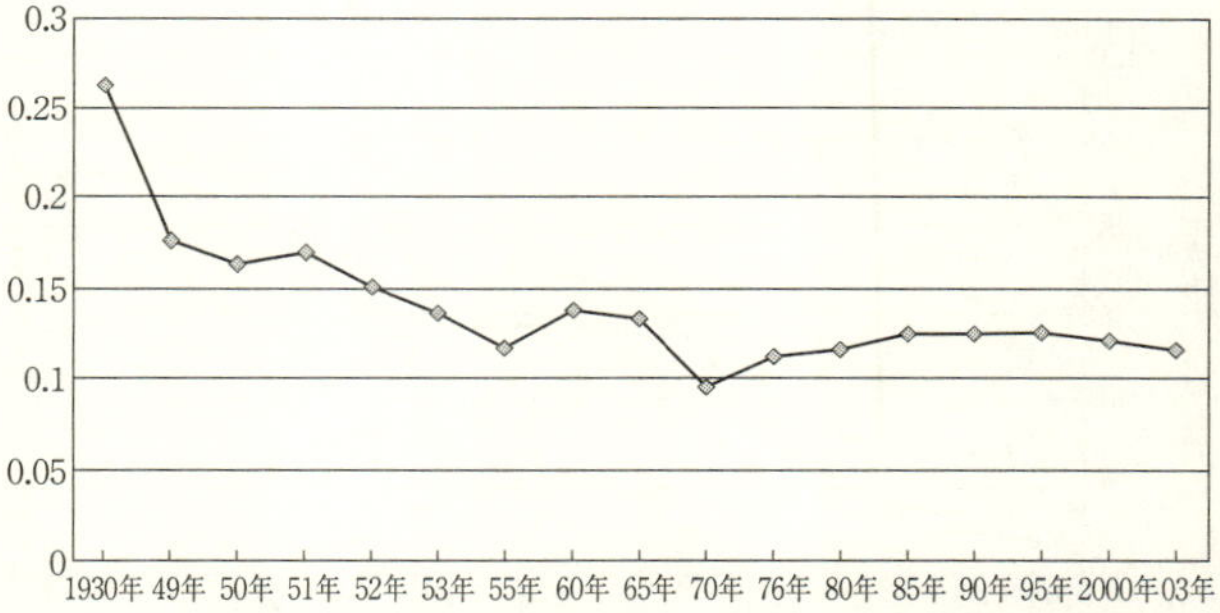

図4－1　公立小学校児童1人あたり教育費（総額）の変動係数の推移

一一二六円、最低が熊本県の九万五五五三円で、その差は一・五八倍にまで縮小している。一九四〇年代末には二倍以上の開きがあったことに比べれば、わずか二十年あまりで格差の縮小が顕著に生じていたことがわかる。

このような格差縮小の背後には、全体としての教育費の増大があったことは間違いない。図4－2は、二〇〇〇年の貨幣価値に換算した、児童生徒一人あたり教育費（総額）の推移を示している。一九五五年には一人あたり一〇万円前後であった義務教育費は、一九七〇年には四〇万円前後にまで増額し、さらに七五年には六〇万円前後まで増えている。

図4－3は、一九五五年を基点（＝1。したがって数値は何倍に増えたかを示す）に、国家予算全体の伸びと、公立小中学校の児童生徒一人あたり教育費の伸びをグラフ化したものである。とくに一九六五年から七五年への十年間を見ると、国家予算の伸びを上回るペースで、児

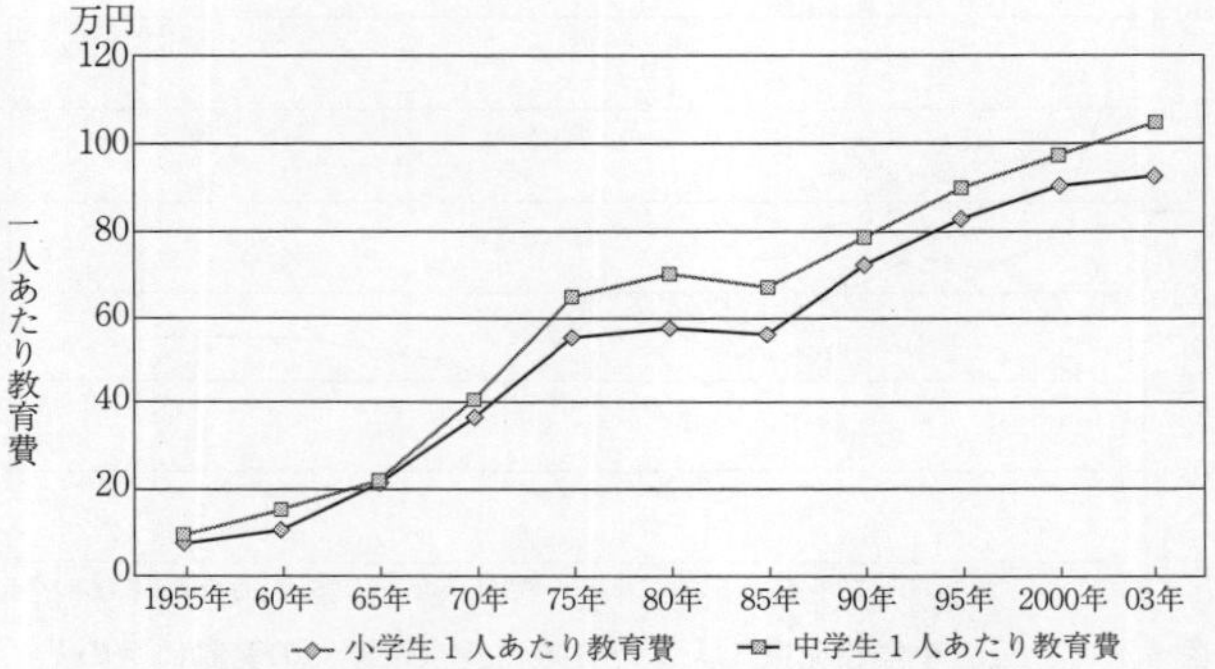

図４－２　2000年の貨幣価値に換算した公立小中学校の児童生徒１人あたり教育費（総額）の推移

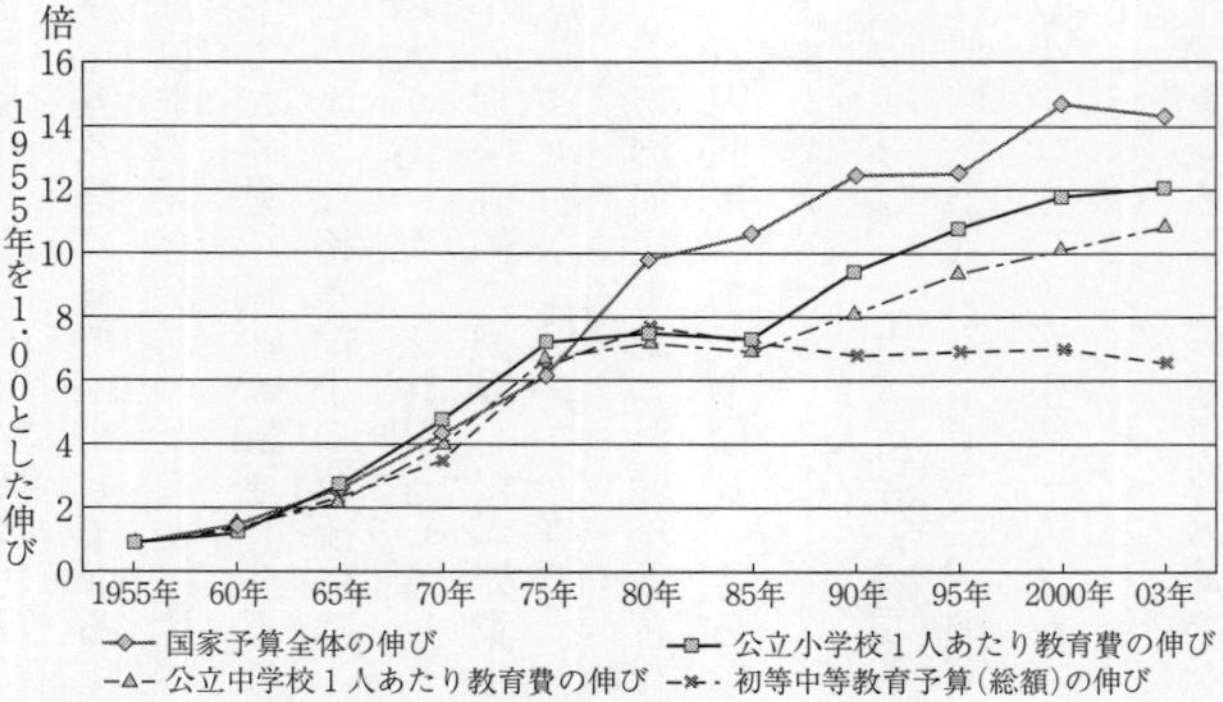

図４－３　国家予算と義務教育費の伸び

童生徒一人あたりの教育費が増やされている。

もちろん、国の支出が増えたからといって、そのことが直ちに、地域間の教育格差の是正につながる保障はない。アメリカの現状を思い起こせば、容易に理解できよう。全体としての教育費の増加は、資源配分の仕組みと合わさってはじめて、格差是正に結びつくのである。その意味でこそ、標準法の世界が格差是正をどのようにもたらすことになったのか、そのメカニズムの解明が重要な分析課題となる。だが、その前に、格差縮小のより具体的な「成果」に目を向けておこう。

教育費の配分構造の変化

先の図4－1では、伊藤の研究を参考に、都道府県間の格差を示す変動係数の推移を現在にまで時点を延ばして計算し、格差の縮小傾向を確認した。だが、この数値だけを見ていては見落としてしまう事実がある。都道府県の間に教育費の散らばりが一定の大きさで残っていたとしても、それがどのような内実をもった差異なのか——戦前期と同様に、財政力の弱い県ほど教育費が少なくなる関係なのかどうか——という問題である。というのも、図4－1では、一九七五年以後、変動係数の減少傾向が止まったように見える。それをそのまま受け取れば、それ以後、格差の是正が進んでいないかのように見えてしまうのだが、実態はそ

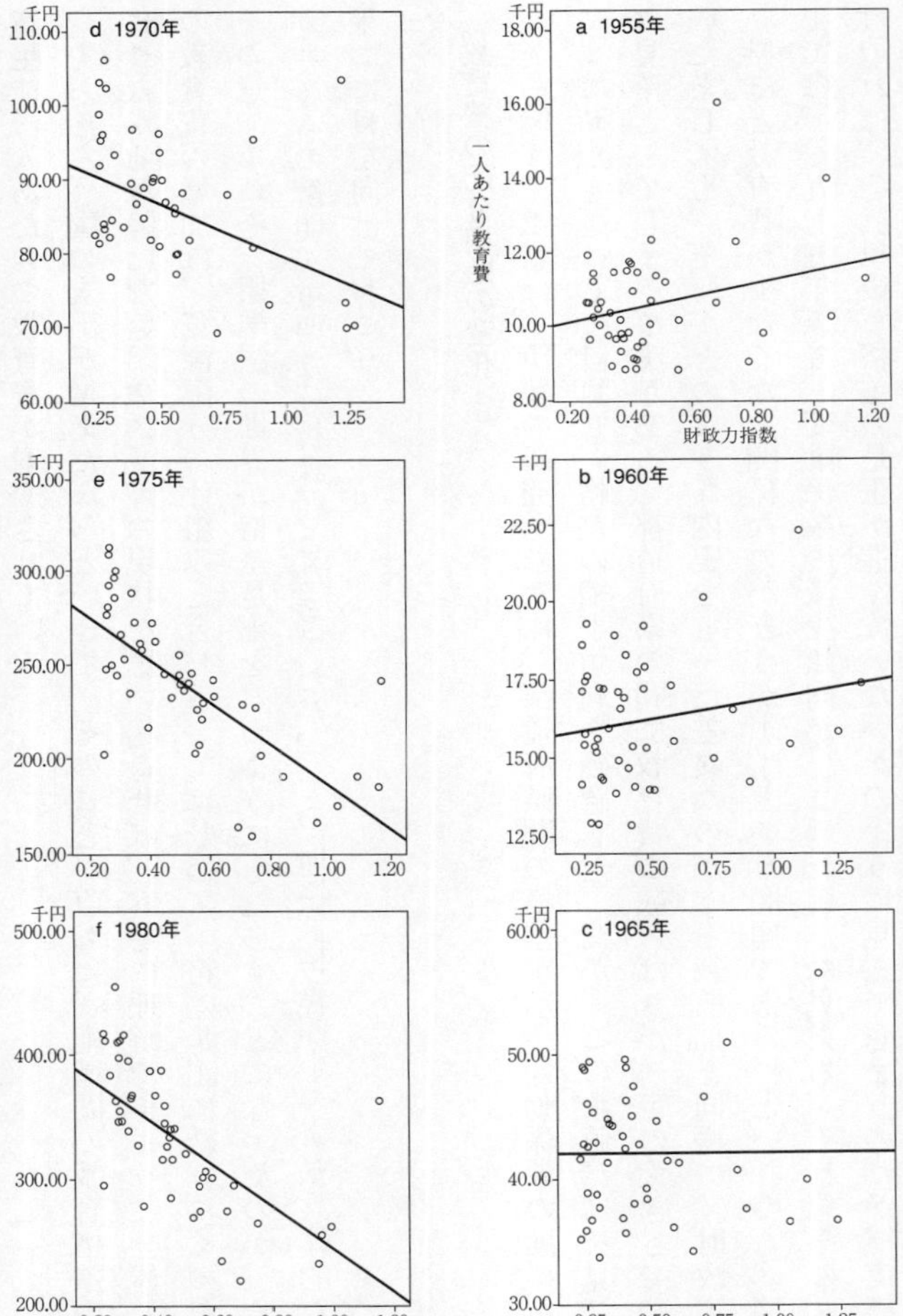

図４－４　小学校児童１人あたり教育費（消費的支出）と財政力指数

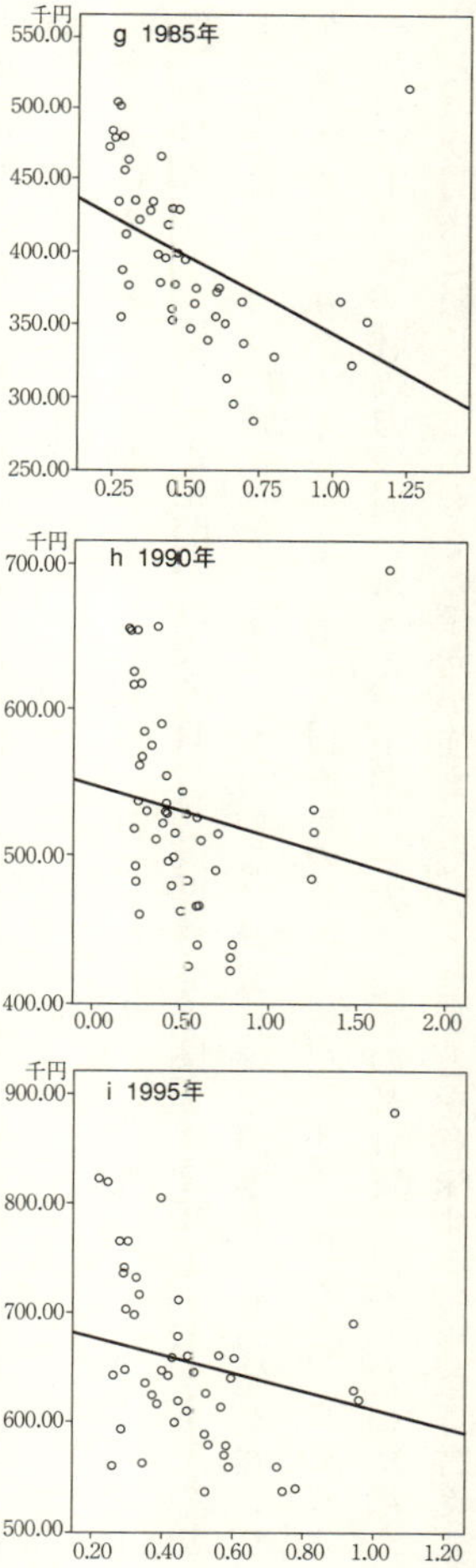

うではないからである。

この点を確かめるために、今度は、各都道府県の財政力指数と、小学生一人あたり学校教育費（消費的支出）の関係を、一九五五年度以後五年ごとに一九九五年度まで示したのが、図4‐4a～iである。連続写真を見るように、分布の変化に目を向けてほしい。ここで教育費総額でなく、教職員給与などが大半を占める消費的支出を用いたのは、それが教育費の大半を占めるという理由だけからではない。標準法の世界が教育財政に及ぼす影響は、教職員定数とそれへの国庫負担を通じてである。そのメカニズムを知るためにも、ここでは学校建設費などの資本的支出を含む教育費総額ではなく、教職員の人件費が大半を占める消費的支出に着目するのである。

そこでまず、図4-4a（一九五五年度）と図4-4b（一九六〇年度）を見ると、戦前の一九二八年（六二頁、図2-1参照）よりは弱くなるものの、依然として正の相関関係があったことがわかる。近似直線の傾きを見てもプラスであり、財政力の強い県ほど、一人あたり学校教育費も多くなるという（やや弱い）関係が残っていたのである。

つぎに、一九六五年の結果（図4-4c）を見ると、それまでの正の相関関係が消えている。近似直線の傾きもほぼゼロであり、しかもあてはまりが悪い。六〇年代の半ば、標準法の世界が成立して七、八年が経過した時点で、県の財政力と小学生一人あたり教育費との正相関の関係は消えたのである。豊かな県ほど子ども一人あたりに換算した教育費の支出が多いという構造は、六〇年代半ばにストップした。

興味深いのはその後の動きである。図4-4d（一九七〇年度）と図4-4e（一九七五年度）を見ると、今度は、正相関ではなく負の相関関係へと関係が逆転し、しかもその傾向が七五年ではひじょうに強まっていることがわかる。近似直線の傾きも、負の値が強まり、しかも、あてはまりがよくなっている（近似直線のまわりに点が集まっている）。このことは、一九六五年以後、財政力の弱い県ほど、小学生一人あたりの教育費支出がしだいに増えていくという関係に転じ、しかもその傾向が強まっていったことを意味する。平たく言えば、財

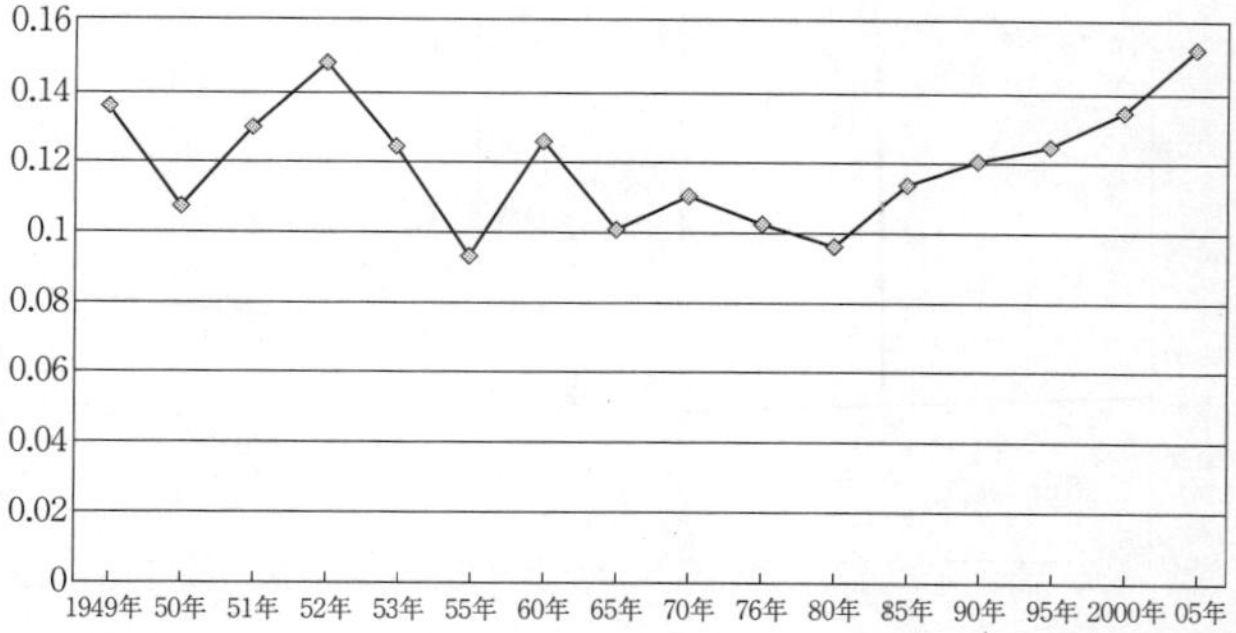

図4－5　公立中学校生徒1人あたり教育費（総額）の変動係数の推移

政力の弱い貧しい地域ほど、小学生の教育により多くのお金をかけるという、ある意味「累進的な」関係が強化されていったということである。このような強い累進的な関係は、これらの図を見る限り、一九八〇年代半ば（図4－4g参照）まで続いたと言うことができる。

　ところが、図4－4h、図4－4iが示すように、一九九〇年代に入ると、しだいにこうした逆相関の関係が弱まっている。依然として財政力の弱い県ほど、児童一人あたりの小学校学校教育費が高いという傾向は続くのだが、七五年頃の強い逆相関の関係に比べれば、累進的な関係の度合いは、八〇年代後半以降鈍化していった。それでも、第二章で見た戦前の趨勢や一九六〇年までの財政配分の構造と比べれば、六〇年代半ば以後現在に至るまで、公立小学校の学校教育費の配分の原則は、逆進的なものから、累進的なものへと

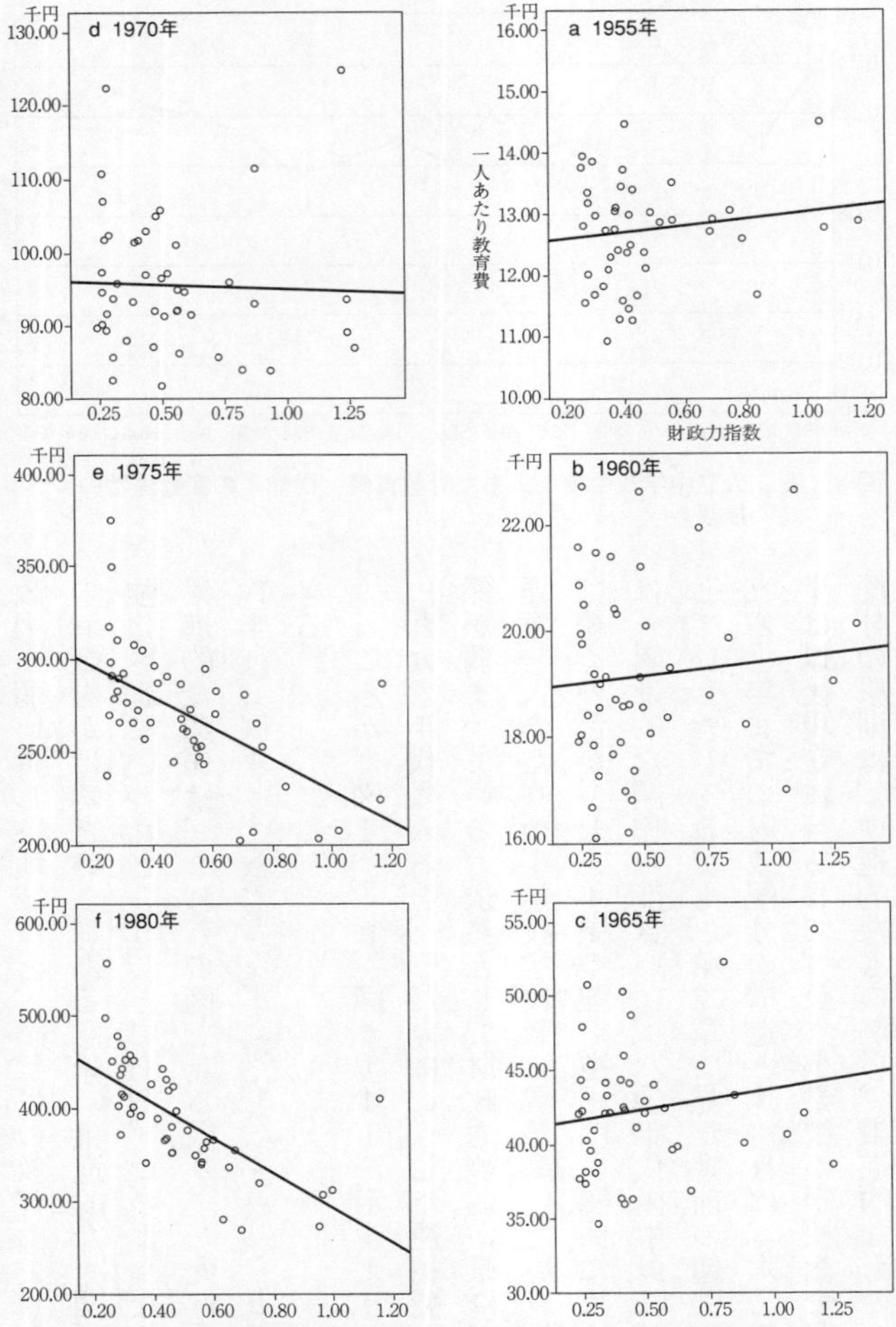

図4－6　中学校生徒1人あたり教育費（消費的支出）と財政力指数

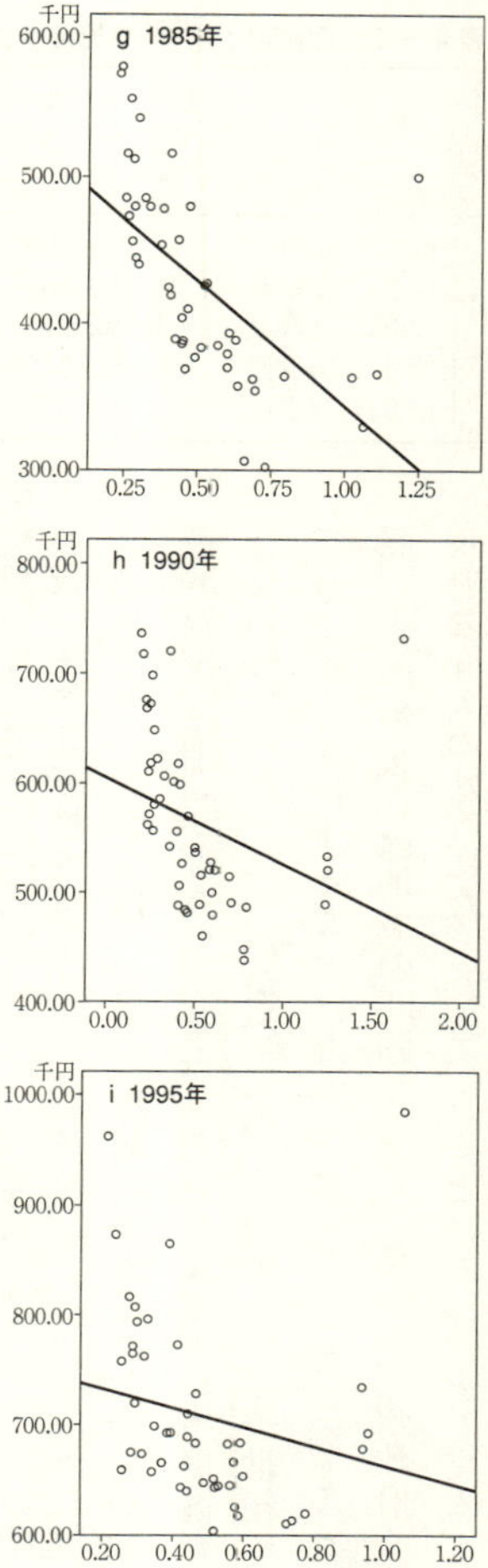

大きく変化してきたということはいえる。

同様の分析を、中学校の公教育費についても行なった。図4－5は、中学校の生徒一人あたり学校教育費（総額）の都道府県間の変動係数の変化を示したものである。一九八〇年以後、変動係数が増大傾向にあり、これだけを見ると、都道府県間の教育費格差が拡大したように見える。しかし、財政力との関係を詳しく見ていくと（図4－6a～i）、一九六五年までは財政力と中学生一人あたり教育費（消費的支出）との間には、正の相関関係が残っていたことがわかる。小学校の場合とは若干異なり、それが弱い逆相関へと転換するのは一九七〇年前後である。そして、七〇年代から八〇年代半ばにかけて、強い逆相関の関係が表れ、

表4－2　2005年の小学校児童1人あたり教育費の上位県

		05年小学生1人あたり教育費総額（円）	05年1人あたり県民所得（千円）	04年財政力指数
上位1	島根県	1,292,436	2,453	0.207
上位2	高知県	1,180,769	2,146	0.215
上位3	鳥取県	1,102,916	2,308	0.230
上位4	山形県	1,100,516	2,427	0.295
上位5	岩手県	1,099,388	2,363	0.271

九〇年代になるとその関係が弱まっていく。小学校に比べ、数年後に、逆相関への転換が起きるという時間差があるという点は、児童生徒数の変化＝人口動態の影響を示唆していて興味深い。この点については、後述する。

このように、児童生徒一人あたりの教育費の支出と財政力との関係を経年で見ていくと、一九七〇年代に、教育資源の配分構造が累進的な仕組みへと大きく変化したことがわかる。このことは、教育機会の均等にとって、きわめて重要な意味を持つ。このとりわけ、第二章で見たアメリカの議論と実情を思い出してみれば、その重要性を理解できるだろう。

アメリカにおいては、富める地域ほど教育にお金をかける逆進的な配分構造が存在し、それを是正しようという議論が長年行なわれてきた。にもかかわらず、その実態は二一世紀に入っても大きく変化することはなかった（一〇一頁、表2－7を参照）。初中等教育は地域の問題だという意識が、州政府や連邦政府の介入の妨げになったということはあったとしても、日本との違いは歴然としている。

表4-2は、二〇〇五年における、小学校児童一人あたり教育費の高い上位五県について、それぞれの財政力指数、県民一人あたり所得といった数値をあわせて示したものである。四七都道府県の財政力指数の平均値が〇・四二五、一人あたり県民所得の平均が二七五万二〇〇〇円、児童一人あたりの教育費が七七万九七三〇円であったことと比べると、伊藤が示した昭和二十年代後半の時代とはうって変わって、財政力の弱い、一人あたり県民所得も低い県が教育費の上位を占めていることが明らかである。義務教育費についても、国による調整機能が働いていることを示す結果である。

2　「知られざる革命」——教育条件の均質化

教員一人あたりの児童生徒数

それでは、こうした累進的な配分構造への転換は、どのようなメカニズムを通して生じたのか。また、このような財政力と子ども一人あたりの公教育費の関係は、実際の教育環境の「改善」とどのような関係があったのか。そこに標準法の世界はどのように関わっていたのか。これらの問題を検討するために、ここでは、もう一つの重要な要因として、教員一人あたりの児童生徒数という変数を導入しよう。教員一人あたり児童生徒数は、いわゆる「PT比」と呼ばれる指標であり、教育の質を評価する際にも使われる数値である。教員の負担度を示す指標としてみることもできるし、さらには、子どもたちへの教員の目の届き具合の程度を示す指標ともいえる。

全体の動きを復習しておくと、前章の図3-2と図3-3(一三八頁)で見たように、小学校においても中学校においても、一九六〇年以後、このPT比は日本では減少傾向にあった。その意味では、教育の質が改善されてきたということができる。

このように、PT比は教育の質とも関係する指標なのだが、私たちの議論にとってより重要なのは、標準法の世界との関係において、この指標が持つ意味である。前章で明らかにしたとおり、標準法の世界では、学級編成の標準(クラスサイズの上限)を定めることから、必要教員数が算出される。第二章で見たアメリカの「生徒時間(pupil hour)」のように、生徒数と教員が教える時間の積を単位に、教員のノルマを決め、それに応じて教員数が決まるパーヘッドの世界とは異なり、生徒数の変化が教員数と生徒数の比に直接反映するわけではない。パーヘッドの世界であれば、生徒時間の単位設定を変え、それに応じて教師数も変えない限り、理論上は、生徒数の増減に応じて教員数も変化することになる。それゆえ意図的に教員数を変えない限り、PT比は生徒数の変化にかかわらず一定となる。それに対し、日本の標準法の世界では、上限となる学級定員をどのように設定するかという政策決定如何によって、この教員一人あたり生徒数は変化していく。その意味で、教員数の変化、児童生徒数の変化、学校数・学級数、学級定数の上限（それによって学級数と必要教員数とが変わる）といった数値のそれぞれの動きに応じて、PT比は変化するのである。

そうだとすれば、教員一人あたり児童生徒数という変数を導入することは、たんに教育の質の変化を見るだけにとどまらず、教育財政の配分の仕組みが、教育の質の改善とどのような関係を持つのかを見る上でも重要な意味を持つ。この両者の結びつきのメカニズムについては、後に再び詳しく考察することにして、その前に標準法の世界以前の状態を見ておこう。

図4－7は、戦前期の一九三〇（昭和五）年について、県を単位に児童一人あたり教育費と、教員一人あたり児童数（PT比）との関係を示したものである。この図から、両者の間には弱いながら負の相関関係（マイナス〇・三五九）があったことがわかる。教員一人あたりの児童数が七〇～八〇人を超える県が少なからずあったことなど、その多さに驚きを禁じ得ないが、同時に、あとで見る近年の数字に比べれば、全体的に散らばりが大きく、一部東京などの富裕な地域のはずれ値を除けば、一人あたりに同じくらいの教育費をかけている県の間にも、教員一人あたり児童数に大きな違いがあった。つまり、おおむね児童一人あたりにお金をかけている県ほど、教員一人あたりの児童数が少なくなるという傾向はあるものの、

財政力の弱い県ほど僻地校や小規模校が多く、そのことが影響していたのである。それでも教育費の少なさが教育環境の悪化と関係しており、財政力格差と正の相関を持つ公教育費の格差が、教育環境の格差と連動していることは確認できるのである。

図4-8は、一九四九（昭和二十四）年について同じように児童一人あたり教育費（この場合は、教職員給与などの消費的支出のみに限定）と、教員一人あたり児童数との関係を示している。ここでは、負の相関関係がやや強くなっている（相関係数＝マイナス〇・三七九）。一人あたりの児童にお金をかけている県ほど、教員一人あたりの児童数が少なくなるという関係が強まっているのである。

ただし、図4-4で見たように、一九六〇年代までは、財政力指数と児童一人あたり教育費との間には弱いながらも正の相関関係があったことを忘れてはならない。たしかに、児童一人あたりに教育費をより多くかけている県は、僻地などを抱え小規模校が多い。そのため、やむを得ざる事情で、教員数を増やさなければならない。その結果、教員一人あたり児童数は少なくなるのだが、そうした地域は同時に、財政力の弱い地域でもあり、国による財政の調整が有効に働かなければ、児童一人あたりの教育費を引き下げる力が強く働いてしまう。そうした中で、なんとか一人あたりの教育費を確保する地方の努力が続いたのである。

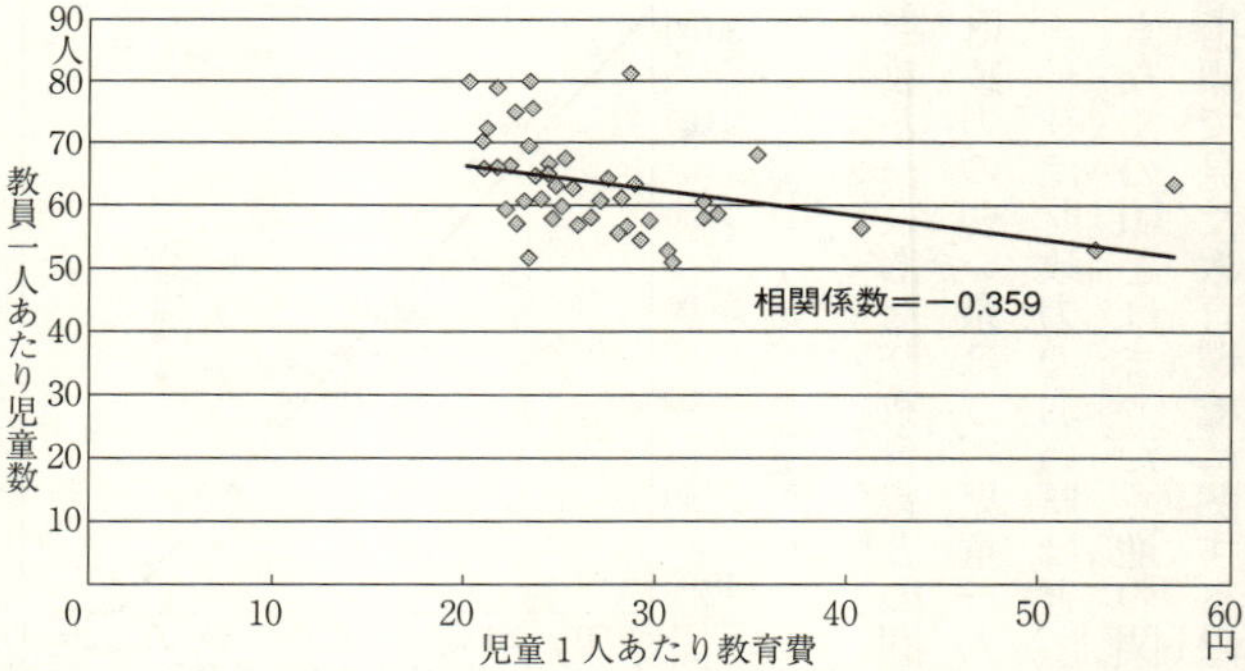

図４－７　公立小学校教員１人あたり児童数と児童１人あたり教育費（1930年）

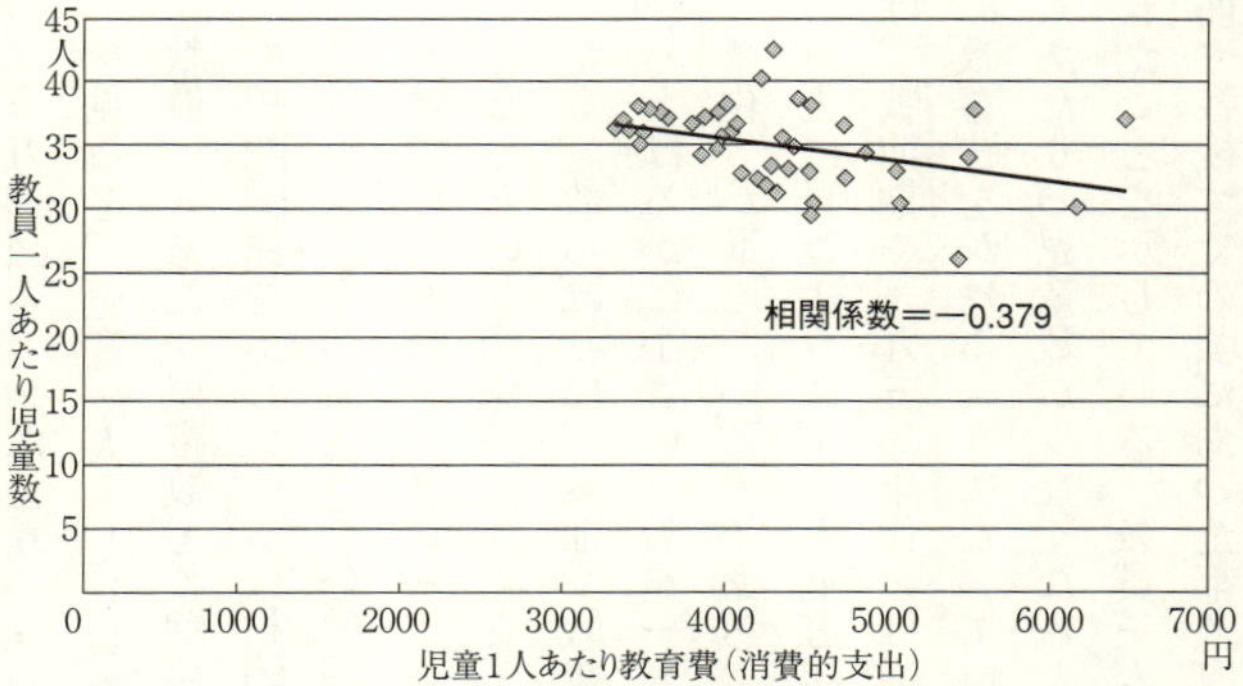

図４－８　公立小学校教員１人あたり児童数と児童１人あたり教育費（1949年）

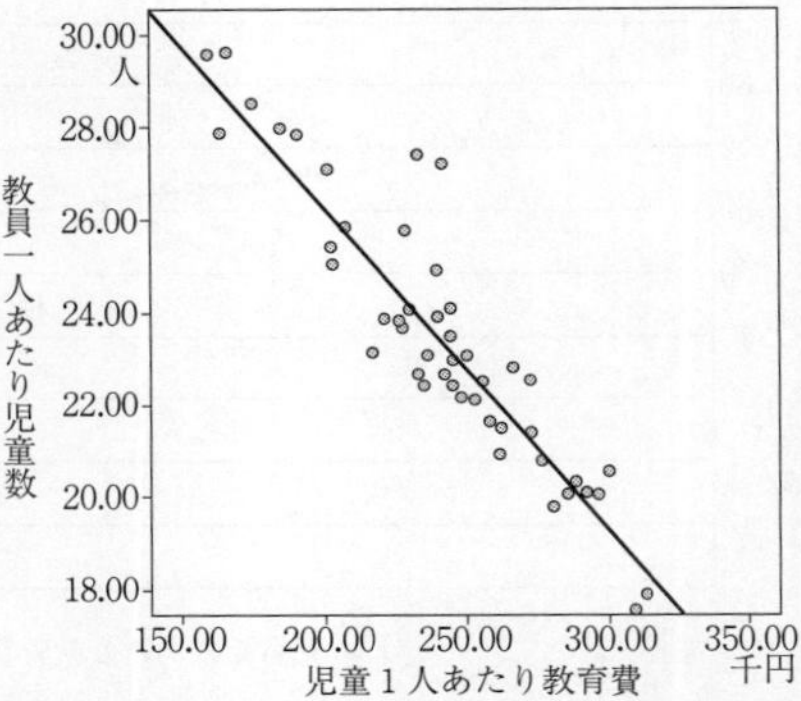

図４－９　公立小学校教員１人あたり児童数と児童１人あたり教育費（1975年）

一方、図４-９により一九七五（昭和五十）年度を見ると、児童一人あたり教育費（消費的支出）と教員一人あたり児童数との関係は、より一層強い負の相関関係を示している（相関係数はマイナス〇・九二二）。つまり、児童一人あたりに多くの教育費をかけている県ほど、教員一人あたりの児童数が少なくなるという関係がより強まっているのである。しかも、散らばりは、戦前や戦後間もなくの頃と比べるとはるかに小さい。教員一人あたり児童数の「標準化」が進んでいるのである。

先に見たように、一九七五年においては、財政力指数と一人あたり教育費との間の関係は、戦前期や一九五〇年代とは逆転していた。つまり、財政力の弱い県ほど、児童一人あたりに教育費をかけるようになっていた。したがって、図４-９は財政力の弱い県ほど、教員一人あたりの児童数が少なくなるという、戦前や戦後間もなくの頃とはまったく逆の関係が表れたことを示している。教員一人あたり児童数という指標で見た教育環境に関する限り、戦前や戦後すぐの頃にあった都道府県の格差は、解消さ

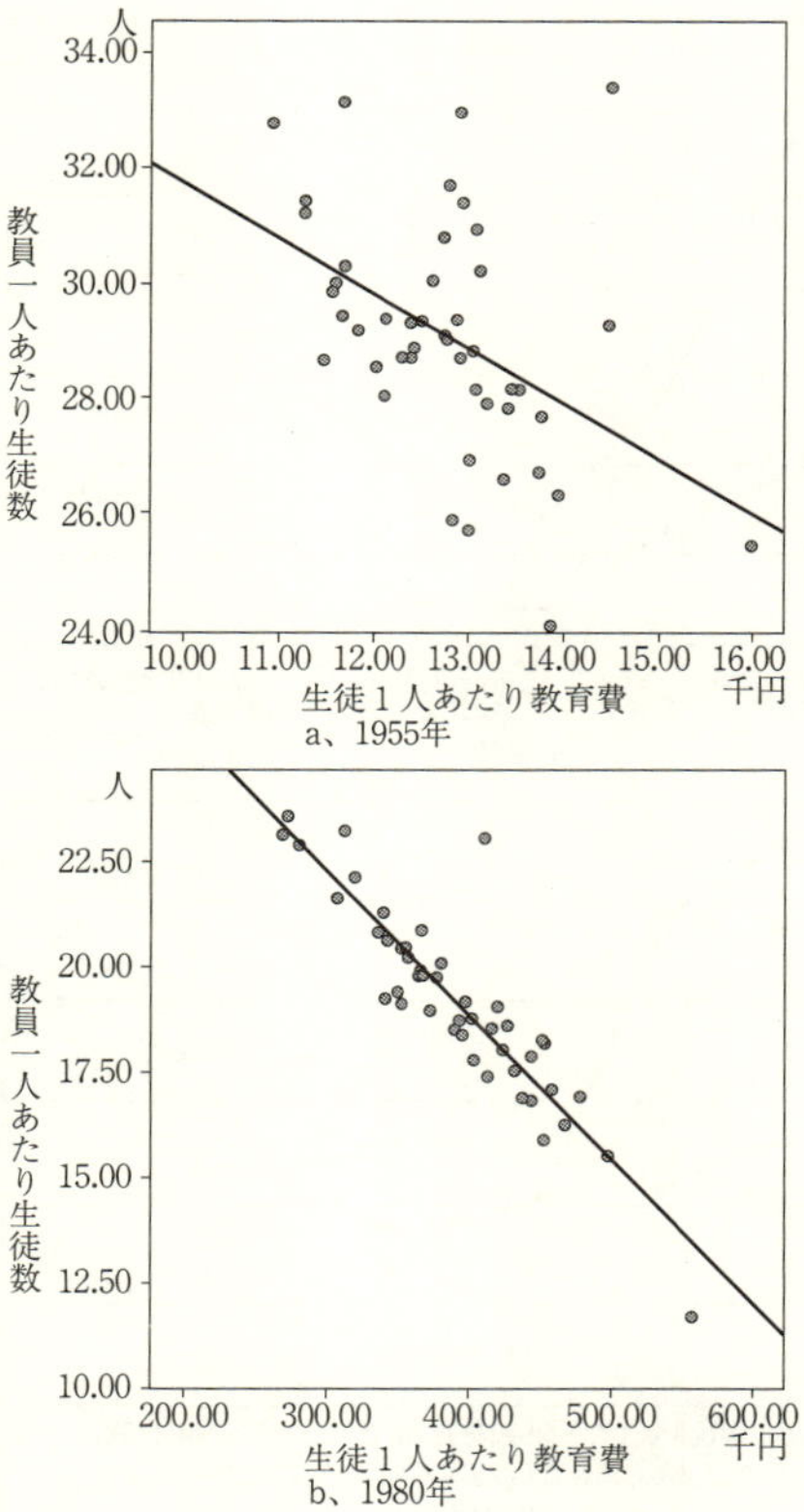

図４－10　公立中学校教員１人あたり生徒数と生徒１人あたり教育費

れたどころか、逆進的な関係から累進的な関係へとその意味するところを変えたのである。

　中学校については、一九五五年と一九八〇年の結果を示した（図４－10）。これをみると、一九五五年時点では、負の相関は見られるもののばらつきが大きかった。財政力と生徒一人あたり教育費とが正相関を持っていた時代である。ところが、財政力と生徒一人あたり教育費とが大きな負の相関を持つようになった一九八〇年の時点で、生徒一人あたり教育費と教

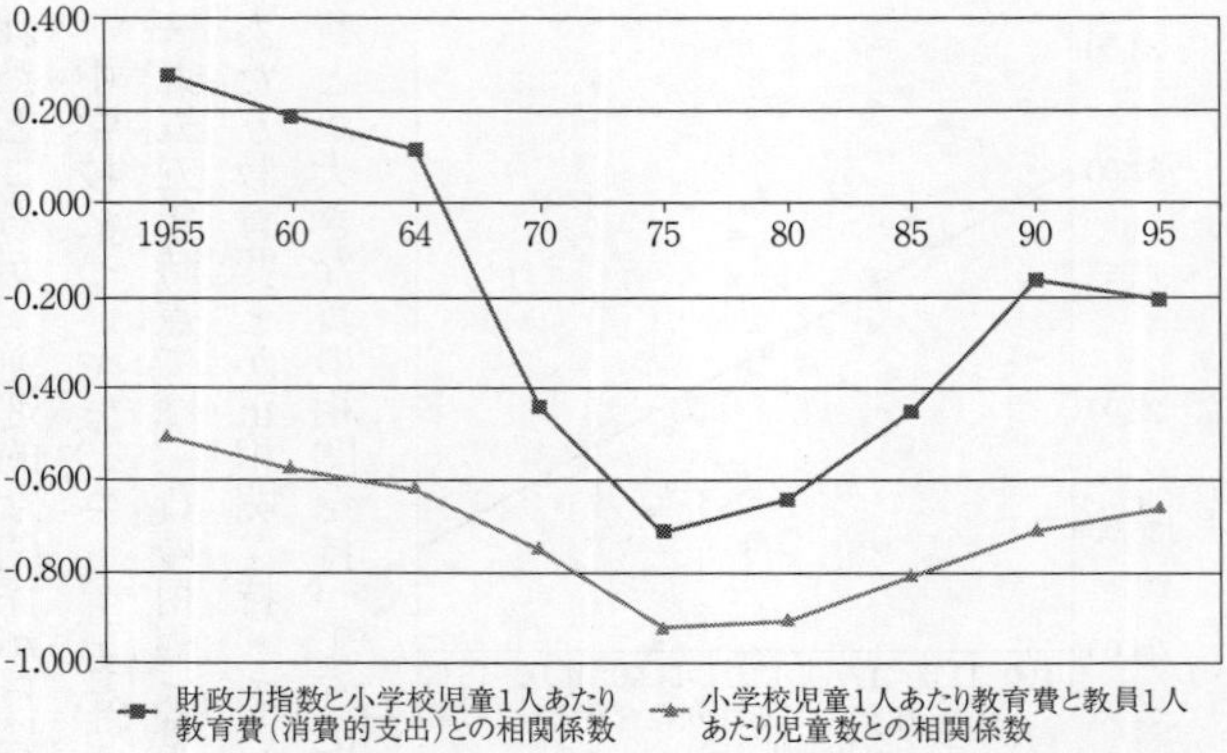
0.400
0.200
0.000
-0.200
-0.400
-0.600
-0.800
-1.000
1955
60
64
70
75
80
85
90
95
財政力指数と小学校児童1人あたり教育費（消費的支出）との相関係数
小学校児童1人あたり教育費と教員1人あたり児童数との相関係数

a、小学校

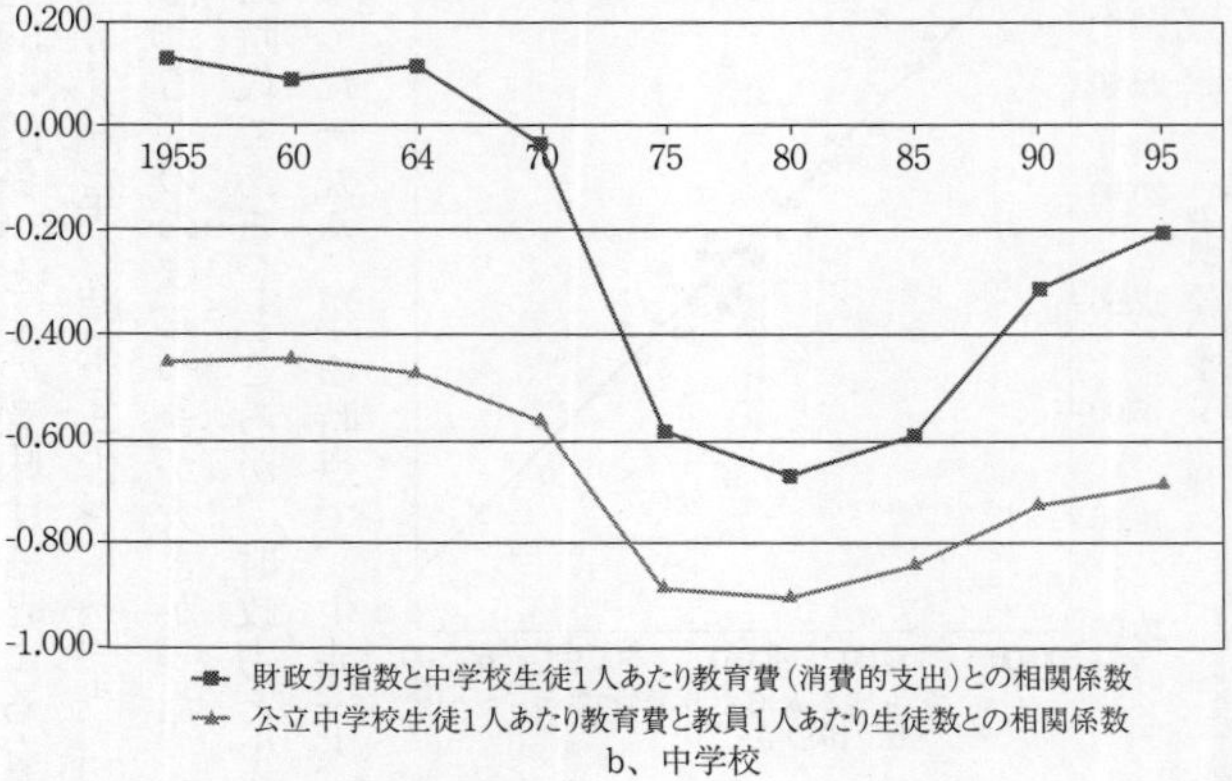
0.200
0.000
-0.200
-0.400
-0.600
-0.800
-1.000
1955
60
64
70
75
80
85
90
95
財政力指数と中学校生徒1人あたり教育費（消費的支出）との相関係数
公立中学校生徒1人あたり教育費と教員1人あたり生徒数との相関係数

b、中学校

図4－11　2つの相関係数の変化

員一人あたり生徒数との関係を見ると、図4-10bが示すように、きわめて強い負の相関関係が見られ、しかも、ほとんどの県が近似直線の近くに分布し、あてはまりがよいことを示している。

これらの結果から、小学校においても、中学校においても、教育費の配分が逆進的なものから累進的なものへと変化する過程は、教員一人あたり児童生徒数（PT比）と教育費の配分との関係が強まっていく時期と重なっていたことが予測できる。しかも、小学校と中学校との間には、こうした時期の重なりのタイミングにおいて、若干の時間差があった。

そこで、一九五五年を基点に、ほぼ五年ごとに、財政力と児童生徒一人あたり教育費（消費的支出）との相関係数の変化と、児童生徒一人あたり教育費と教員一人あたり児童生徒数との相関係数の変化を示したのが、図4-11である（註1）。ここから、小学校においても、中学校においても、二つの相関係数の間で逆相関が強くなる時期が重なり合っていたことが確認できる。とりわけ、小学校では一九六〇年代後半、中学校では一九七〇年代の前半に、急速に二つの相関関係の負の値が大きくなっている。そして、その後、八〇年代後半以後、二つの相関関係が次第に弱まっていくことが確認できるのである。

教員定数の改善

このような二つの変化の重なりはどうして生じたのだろうか。ここには、標準法の世界が、教育の質と関係するメカニズムが隠されている。

既存の学校数を前提に、学級定数の上限を決め、児童生徒数の変化に応じて学級数が決まり、その結果として必要教員数を算出するという仕組みのもとでは、上限以下の学級数が増えれば増えるほど、PT比は小さくなり、しかも、それに必要となる教員数は増える。その結果、それに必要な人件費も増えるという関係が生じる。つまり、財政力の弱い県に対し、国庫負担金を通じて、政策誘導的に、あるいは明確な意志を持って児童生徒一人あたりの教育費を増やしていった結果として、PT比が改善したという関係ではない。それとは逆に、教員一人あたりの児童生徒数が小さくなっていくことが原因で、それを補塡《ほてん》するために、国庫負担金を通じた財政調整が行なわれるという方向の影響力のほうが強いと考えられるのである。

このような原因と結果の逆転の可能性を示唆するのが、先に見た、小学校と中学校との間の時間差である。政策的な意図を通じて、PT比を変えるために教育投資を増やそうというのであれば、あえて時間差をつける理由は見あたらない。小学生数の変化が、数年後には中学校の生徒数の変化へとほぼ自動的に連動する。この単純な事実を踏まえ、教員数が急速に変化しないとすれば、PT比の変化もまた、小学校と中学校とでは数年の時間差を経て生じることがわかる。そうだとすれば、こうした小学校と中学校との間の時間差が示しているのは、児童生徒数の変化→PT比の変化→児童生徒一人あたりの教育費（消費的支出）の変化という流れの関係である。PT比を改善するために、一人あたり教育費を増やすのではなく、PT比の縮小が、一人あたり教育費を増やすのである。

しかも、第三章の図3－1（一三七頁）ですでに示したように、この間教員数の減少はほとんど見られなかった。つまり、児童生徒数の推移を予測して、すでに雇われている教員数を維持するように定数増を行なうことを通じて、学級定数の上限を五〇人から四五人、そして四〇人へと、時間をかけて少しずつ少なくするという政策がとられたのである。表4－3は平成十二（二〇〇〇）年度までのこうした定数改善の歴史をまとめたものである。こうした教員定数の改善を行なってきたことが、第三章の図3－2と図3－3に示したような、なだらかな形でのPT比縮小という「結果」をもたらしたのである。

すでに、日本における教員定数改善の仕組みを知っている私たちにとって、こうしたメカニズムは一見するとあたりまえに見えるかもしれない。しかし、先に図4－11で見たような、二つの相関関係の間の共振的な変化が、標準法の世界とは別の教育資源配分の仕組みのもとで、どのようにして起こりうるのかを考えてみると、その日本的な特徴が浮かび上がってく

イ、複式学級の編制標準の改善
ウ、特殊教育諸学校及び特殊学級の学級編制標準の改善
エ、教頭定数をはじめとした教職員配置率の改善
オ、教育困難校等加配及び研修等定数の増　等

（6）第6次（平成5年度〜12年度）
【個に応じた多様な教育の展開】
〈改善総数　30,400人〉
ア、複式学級の編制標準の改善及び飛び複式学級の一部解消
イ、特殊教育諸学校及び特殊学級の学級編制標準の改善
ウ、ティームティーチング等指導方法の工夫改善のための定数加配措置の創設
エ、通級指導、不登校対応、外国人子女等日本語指導、コンピュータ教育加配の創設
オ、教頭複数配置など校長・教頭定数の改善
カ、生徒指導担当教員及び小学校専科教員の充実など教職員配置率の改善
キ、教育困難校等加配及び研修等定数の増
ク、養護教諭等の複数配置　等

る。

たとえば、生徒時間のような単位をもとに生徒数に応じて教員数が算出されるパーヘッドの世界であれば、このような二つの相関関係の共振的な変化は、起こりうるのだろうか。また、起こるとすれば、どのような仕組みで可能なのか。それを考えてみると、こうした共振的な変化の意味がよくわかるはずである。

パーヘッドの世界において、生徒数が増える時期に、このPT比を改善しようとするのであれば、教員数を生徒数の増加率以上に増やしていくしかない。逆に、生徒数が減る時期であれば、教員数をそれより低い率で減らすことで、PT比の改善ができる。いずれにしても、PT比という教育の質を示す指標を改善することを目指して、教員数を変えていくという考え方がベースになければな

表4－3　義務教育諸学校における学級編制及び教職員定数改善計画の変遷

（1）第1次（昭和34年度～38年度）
【学級編制及び教職員定数の明定】
〈改善総数　34,000人〉
ア、学級編制（50人）の標準を明定
イ、教職員定数の標準を明定
ウ、対象学校種は小学校、中学校及び盲・聾学校小・中学部
エ、対象職種は校長、教頭、教員、養護教諭等、事務職員、寮母　等

（2）第2次（昭和39年度～43年度）
【教育効果のより一層の向上】
〈改善総数　61,683人〉
ア、45人学級を実施
イ、複式学級の編制標準の改善
ウ、対象学校種を養護学校小・中学部に拡大
エ、教職員の配置率の改善　等

（3）第3次（昭和44年度～48年度）
【小規模校の改善と加配制度の創設】
〈改善総数　28,532人〉
ア、小学校における4個学年以上複式学級の解消及び中学校における3個学年複式学級の解消並びに他の複式学級の編制標準の改善
イ、特殊教育諸学校の重複学級編制の標準の明定並びに特殊教育諸学校及び特殊学級の学級編制標準の改善
ウ、教職員の配置率の改善
エ、中学校に生徒指導担当教員分の定数を措置
オ、教育困難校等に対しての加配制度の創設
カ、研修等定数の制度の創設
キ、事務職員の複数配置　等

（4）第4次（昭和49年度～53年度）
【教育水準の一層の向上】
〈改善総数　24,378人〉
ア、小学校における3個学年複式学級の解消及び小学校、中学校の2個学年複式学級編制の標準の改善
イ、特殊学級の編制標準の改善
ウ、対象職種を学校栄養職員に拡大
エ、中学校を重点としての教職員配置率の改善
オ、教育困難校等加配及び研修等定数の増　等

（5）第5次（昭和55年度～平成3年度）
【教育内容の質的充実】
〈改善総数　79,380人〉
ア、40人学級を実施

らない。パーヘッドの世界ではPT比が単位費用の算出根拠になっているという佐藤三樹太郎の指摘を第三章で見たが、そこではPT比を変えようとすることが先に来るのである。しかもそれを、財政力の弱い、児童生徒一人あたりの教育費の低い地域により多くの教員を配置するという強い意志を持った累進的な配分の仕組みに変えつつ行なっていこうとしない限り、先のグラフで見たような二つの相関関係の変化は起こりえない。生徒数の変化に任せるだけでは、PT比自体が変化しないのが、この世界の原則なのである。

それゆえ、アメリカのように、百年近く前に、教育財政の平等化＝教育機会の平等の議論が起き、さまざまな財政上のテクノロジーが開発されたにもかかわらず、ここで述べたような大きな政策上の変更が生じなければ(言い換えれば、強い意志が働かなければ)、依然として地域間の教育資源の配分は逆進的なままにとどまってしまうのである。

思わざる結果

このような比較社会学的な思考実験をしてみると、標準法の世界がもたらす、教育機会の平等化に向けたメカニズムの特徴がより一層明らかとなる。その特徴とは、このような教育条件の変化は、当初から制度設計の思想として埋め込められていたわけではない、という点である。制度設計者たちの言説が残しているように、本来であれば、アメリカのように、生徒時間といった教員の教育労働の質と量、さらには生徒数に応じた指導を可能にする柔軟な資源配分の単位を設定し、それをもとに、教育財政の仕組みを設計したかった。ましてや、同じ頃、アメリカから「子ども中心主義」の教育思潮に彩られた「新教育」の実践が導入された時代である。学習の個人化と親和的な関係にある教育財政の仕組み――パーヘッドの世界――を制度設計者たちが願ったとしても不思議ではない。

しかし、それは叶《かな》わぬ夢だった。厳しい財政事情のもとで、なによりも新たに義務教育として加わった中学校教育を軌道に乗せるだけでも困難を極めた。そうした中で、「生徒数、学級数、学校数の三本立て」とするのも「やむを得ない」選択とされたのである。

たしかに、前章で見たように制度の設計者たちも、人口動態を念頭においてはいた。財政当局もそれを見越して標準法の世界の成立を認めたのだった。しかし、設計者たちの見込みも、第一次ベビーブーマーの通過によって五〇人の学級定数上限を四五人にまで改善できるといった見通しまでの射程だった（木田一九八七、三三三頁）。それと同時に、あるいはその後の児童生徒数の変化が、これだけ顕著な累進的な資源配分の仕組みにつながるという予想まではもっていなかっただろう。その意味でも、この章でたどった変化が、設計図に込められた意図どおりの変化であったかどうかは疑わしい。それでも、制度の枠づけにしたがえば、人口の変化に応じてＰＴ比は変わっていく。

このようにして出発した標準法の世界は、その後、財政事情が好転しても、大きく変えられることはなかった。経済の高度成長、税収増と時を同じくして、あるいはそれよりも好ペースで、義務教育への公的投資が上回っていったのだが、教育資源の増資は、標準法の世界を前提にした配分構造のもとで行なわれたのである。それが、先に表4－3で見た、「義務教育諸学校における学級編制及び教職員定数改善計画の変遷」の歴史であった。資源配分の基本的な仕組みを維持したまま、学級編制の上限を変えていくことを中心に、「教育の質」の改善への取り組みが行なわれたのである。その後の人口動態や教員数をとらえて、文部省は、学級定数の改善と教員定数の改善を結びつける政策を行なってきたのである。もちろん、さまざまな教員「加配」の対象を広げていくことで、個別の教育ニーズに応える仕組みもとられるようになったのだが、ベースにあったのは、依然として「生徒数、学級数、学校数の三本立て」の仕組みであった。そこには大幅な変更を加えることなく、一九五八年に成立した標準法の世界が、つい最近まで維持され続けたのである（註2）。

中央教育審議会の各種答申や学習指導要領の度重なる改訂を通じて、教育における個性の尊重や学習の個人化に向かう方向性が何度となく出されても、教育資源の配分の仕組み自体は、過去からの慣性《イナーシャ》から逃れることはなかった。しかも、こうした仕組みを暗黙裡に残したからこそ、大きな資源配分の構造を枠づけている慣性にしたがっていけば、逆進的な教育資源の配分の仕組みを、累進的な仕組みへと、スムーズに変えていくことができたのである。

　こうして、教育資源配分の仕組みが、大きな政治的選択に関わる議論を経ずとも、言い換えれば、強い意志の力によって、原理原則を変えようとする路線選択の機会を経ずとも、より平等な仕組みに転換できたところに、標準法の世界の「思わざる結果」があった。その証拠に、こうした論考を通じて明らかにするまで、私たち――おそらくは当の政策担当者や政治家を含め――は、日本の義務教育の資源配分の仕組みが一九七〇年代にその意味を大きく変えたことにさえ気づかずにいられたのである。パーヘッドの世界で同様の事態を生み出そうとすれば、財政の仕組みや原則を変えようとする強い意志の力がなければできないことだろう。

　その意味で、これは画期的な変化であった。しかも、その画期は、日本では気づかれることさえなかった。変化への無知は暗黙の支持を意味した。政策選択のイシューとなることはなく、累進的な資源配分の仕組みを生み出す仕掛けが働いた。こうして戦後の日本では、知られざる「静かな革命」が教育機会の平等に向け作動したのである。

3 「面の平等」——さらなる均質化へ

「へき地」の実態

このように変化を遂げた標準法の世界は、都道府県格差の是正という結果だけをもたらしたわけではない。標準化＝規格化を通じて、「教育機会の均等」に貨幣的な表現を与えることで、地域間の教育格差を是正しようとした標準化の思想は、都道府県内の教育条件の均質化をも推し進めていった。ここでは、全国の動きとも関係する、そうした均質化の作動として、僻地教育の振興策と教員の広域人事に着目する。

すでに第一章でみた文部省の全国学力調査では、一九五六（昭和三十一）年に実施された学力調査の結果を踏まえて、「へき地の劣悪な教育条件が、学力にも影響していると見ることができるわけであって教育の機会均等の趣旨の実現のためにも、適切なへき地教育振興策の必要を痛感せられる」と述べていた（文部省一九五七、二七七頁）。この調査に先立ち、文部省は、一九五四（昭和二十九）年に、へき地教育振興法を制定していた。しかしそれは、「予算も碌《ろく》についていないので、『法律を作ってから、予算を取ろう』なんて言って」始まった政策だったという。「法制局の参事官も『主旨は十分わかったから』と言って、将来の予算化を見通して、前向きに協力してくれました」と、後に政策立案者が回顧するような制度だったのである（天城勲二〇〇二、一三四頁）。

へき地教育振興法ができた翌一九五五（昭和三十）年に、文部省は、全国の僻地教育の実態を調べる調査を実施し、一九五六年にその報告書『へき地教育の実態――昭和三〇年度へき地教育の調査報告書』を刊行する。この報告書の序文には、次のような調査の目的が書かれていた。

一般にへき地といっても、どのような所をさすのかは、各人各様であって、決まった概念をもっていないし、また、へき地の教育は恵まれていないといっても、都会の教育に比べ、どのくらいおとっているものか、その全容のはあくはじゅうぶんではなかった。（中略）文部省では、このような事態にかんがみ、へき地教育の実情を正確にはあくすること、へき地の度合いを客観的に示す尺度を検討すること、という二つの目的のために、昭和三〇年度に、全国的規模による『へき地教育の調査』を実施したのである。（文部省一九五六、序文：ページ番号なし）

へき地教育振興法はできあがっていたが、実際に振興するための予算措置を講じるには、

「へき地の度合いを客観的に示す尺度」がなければならない。国の補助を通じて、僻地手当を支給する際に必要となる、標準的な「尺度」である。それなしには、僻地の教育条件を改善しようとしても、教育機会の均等に「貨幣的表現」を与えることもできない。このような問題意識をもとに、全国の僻地教育の実態が調査されることとなったのである。

この調査では、その時点で教育行政面での僻地指定の法的根拠としては用いられなくなっていた大蔵省による国家公務員に対する僻地手当の支給地域の学校を指して、一応「へき地」と見なし、全国調査を行なった。調査報告書を見ると、現在では想像もできない地域間の教育条件の違いに驚く。

表4-4と表4-5は、僻地校に勤務する教員の学歴と教員免許の取得状況を示したものである。僻地の教員は、全国平均に比べ、大卒・高専卒が少なく、小学校では、普通免許所持者も少ない。また、表は省略するが、電気が通っていない学校が、小学校では一〇・八%、中学校では一四・一%に及んでいた。電気が通っている学校だけを取り出しても、常時電気が通っていたのは小学校で九一・八%、中学校では八五・三%で、残りは、一定の時間だけ電気が通る時間制であったり、自家発電による部分的な電気の利用であったという。給食設備においても、全国平均では七〇%近くの小学校が完全給食を始めていたのに対し、僻地の小学校では二〇%程度にとどまった。中学校でも完全給食率は、全国が半数近かったの

に対し、僻地では一割程度であった。その他、生徒用図書の不完備などについても詳細が調べられているのだが、こうした全国実態調査を通じて明らかとなったのは、まさに「へき地の劣悪な教育条件」であり、それを是正することが、「教育機会の均等」の実現＝教育の地域間格差の是正と見なされていたのである。

表4－4　学歴別本務教員数の百分比

学歴別	へき地学校						全国平均	
	小学校			中学校			小学校	中学校
	計	へき地手当あり	へき地手当なし	計	へき地手当あり	へき地手当なし		
大学・高専	40.3	36.5	43.5	67.1	62.4	73.7	64.3	83.9
指定教員養成機関	7.7	9.3	6.3	5.3	5.4	5.2	－	－
高校 旧制中等学校	46.0	47.4	44.8	24.3	29.1	17.8	31.7	13.4
その他	6.0	6.8	5.4	3.3	3.1	3.3	4.0	2.3

表4－5　免許状の種類別本務教員数の百分比

免許状の種類	小学校						
	昭和30年度へき地学校			昭和28年度へき地学校			全国平均
	計	へき地手当あり	へき地手当なし	計	へき地手当あり	へき地手当なし	
普　通	59.0	54.4	62.8	49.4	46.4	56.9	67.4
臨　時	22.5	26.0	19.6	33.5	35.7	27.9	18.2
仮	17.7	18.6	17.0	16.5	17.2	14.8	14.4
その他	0.8	1.0	0.6	0.6	0.7	0.4	－

免許状の種類	中学校						
	昭和30年度へき地学校			昭和28年度へき地学校			全国平均
	計	へき地手当あり	へき地手当なし	計	へき地手当あり	へき地手当なし	
普　通	73.1	69.6	77.8	57.6	55.0	65.1	74.4
臨　時	17.3	19.8	14.0	32.2	34.8	24.7	19.9
仮	8.1	8.7	7.2	9.4	9.4	9.6	5.7
その他	1.5	1.9	1.0	0.8	0.8	0.6	－

配分の基準

そのために、いかにお金を配分するか。へき地教育振興法を実のあるものとするためには、配分の基準がつくられなければならない。その具体的な方法が、「へき地の度合いを客観的に示す尺度」の標準化であった。なぜならこの調査が行なわれた当時、僻地手当の支給は各地方に任されており、僻地の指定についても、支給の方法や金額についても、県ごとにばらばらだったからである。国が法律をつくって僻地教育を振興し、その一部を負担しようとすれば、そのための配分基準がなければならない。その基準づくりの作業のために、報告書では、新潟、奈良、長崎の三県を対象に、いくつかの施設からの距離をもって、僻地の度合いの尺度とする試みを行なっている。

そこでは、(a)医療機関までの距離、(b)郵便局までの距離、(c)役場までの距離、(d)中学校までの距離、(e)高等学校までの距離をどのように測定するかを検討し、実際に測定した距離の合計によって、地域の文化状況がどの程度異なるかを調べ、「へき地の度合い」を客観的に把握しようとしている。そこで調査の対象となっているのは、つぎのような項目である。

学校規模、学校所在部落の電灯の有無、通学区内の飲料水の利用状況、通学区内のラジオの普及率、電話の普及率、新聞の普及率、新聞の遅配日数、県庁所在地からの郵便の到達日数、通学区内における劇場・映画館、病院、高等教育の有無。

このような実態調査によって、「客観的」な尺度を作り、それをもとに、僻地の等級を決める。そして、その等級に応じて、へき地手当を各都道府県が支給することとし、そのうちの一定部分を国が補助する仕組みをつくろうとしたのである。この調査で得た結果を踏まえ、実際に一九五九(昭和三十四)年には「へき地教育振興法施行規則」が制定された。そこでは、ここで述べたような諸機関からの距離によって、僻地の程度を「基準点数」として計算するためのルールがこと細かに決められている。たとえば、同じ距離であっても、「急こう配で、かつ、狭《きょう》あいである等の自然的条件による交通困難な部分がある場合」にはどうするかとか、積雪などで交通困難となる日数に応じてどうするかなどの、文字どおりの「基準」が「施行規則」として制定されたのである。こうして計算される基準点に応じて、僻地の等級が決まり、それによって、へき地手当の支給額が決まるという仕組みができあがったのである。さまざまな地域=空間の差異を捨象し、一定のルールのもとで点数化する方式を編み出すことで、教育機会の均等を実現するための施策が、また一つ貨幣的表現を与えられることとなった。

さらに、一九五四（昭和二十九）年に制定されたへき地教育振興法は、五八年に改正され、都道府県による僻地手当の支給が、努力規定から義務へと変わり、施設設備への国の補助についても、国が「二分の一を補助する」と明記されるようになった。一九五九年の「へき地教育振興法施行規則」（文部省令）制定は、この法改正をさらに受け、僻地校に勤務する教職員のための住宅建設にかかる費用を国がどのように補助するか、僻地指定の学校の教材や設備をどれだけ補助するかといったことも定めたものであった。こうした標準化の手続きを経て、国による全国一斉の介入が可能な仕組みがつくられていった。一度こうした標準化の方法ができあがれば、その後はそれを修正したり、国による補助率を変えていくことで、「へき地の劣悪な教育条件」を改善するための手立てが講じられていく。

もちろん、その後の社会全体の豊かさや、インフラの整備、テレビ、電話などの情報網の整備といったことが同時に進行し、地域間の「文化的条件」の差異を縮小していったことは言うまでもない。それでも、昭和三十年代初頭まで存在した、「へき地の劣悪な教育条件」を是正するために、教育の標準化が進められていった点を看過することはできない。とりわけ、「へき地の度合いを客観的に示す尺度」の作成に典型的に見られるような、標準化の考え方を媒介にして、教育機会の均等に貨幣的表現が与えられていくという点は、日本型「教育の平等」の特徴を理解する上での要点である。

教員の広域人事

しかし、いくらこのような貨幣的表現が与えられても、実際にその地に赴任する教員がいなければ、「へき地の劣悪な教育条件」は改善には向かわない。一九五〇年代半ばにおいて、僻地への教員の配置については、つぎのように言われていた。

> 僻地に働いている教師は、教師仲間のくずであり、都市や平坦部の学校では勤まらない無能教員や性格的に欠陥のある教育界の脱落者が振り向けられる、という誤解が少なくない。（中略）老朽教員が恩給をもらうまでの首つなぎに赴任したり、問題を起こした教員が懲戒的な意味で僻地に追いやられたり、若い無資格教員にポストをあてがう場であるというように見られてきた。（馬場一九五六、四七頁）（註３）

戦前期や標準法の世界が誕生する以前の戦後間もなくの頃までは、すでに第二章やこの章の冒頭で見たように、教員の給与格差が、教員の異動を妨げる大きな要因であった。標準法の世界の成立と、僻地振興の制度化とは、そうした面での障碍を取り除く道を切り開いた。だが、たとえ処遇面での改善がなされたとしても、本来、各市町村所管の義務諸学校の教員配置をどうするか。物的、金銭的な教育条件の差異とは別に、それぞれの地区の学校にどのような教員の構成をもって教育を行なうかという、人事の実際に関わる難問が残っていた。その意味で、僻地教育の振興の実質化を担ったのが、各県がそれぞれに取り組んだ、教員の広域人事制度であった。

この点について、一九五四（昭和二十九）年に国立教育研究所が、北海道、宮城、群馬、新潟、静岡、三重、京都、岡山、香川、佐賀の一〇道府県と全国の市町村の教育委員会（有効回答に及んだ教育委員会の数は一五二五委員会）を対象に行なった調査が、当時の様子を伝えている。教員人事行政上の問題や困難についての調査結果が表4－6である。全回答数のうち、四八・四％が「教員組織の地域差学校差の問題・困難」を挙げている。さらに、「人事交流その他異動に関する問題・困難」を挙げる委員会も、三三・六％と三分の一を占める。

これらの結果を踏まえ、分析を行なった国立教育研究所員の永岡順は、地方教育委員会の抱える問題についてつぎのような見解を示していた。

このうち、最も多く見られるのは、地教委の地理的条件の不利である。主として地教委の自然的地理的条件が不利なため、人事交流をはじめ異動が思うようにできず、また教員組織の改善を企画しても教員が集まらないとするものである。具体的には、(1)大都市また

表4－6　教育人事行政上の問題・困難

問題・困難／教委数・%	人事権の所在に関する問題・困難	人事交流その他異動に関する問題・困難	人事行政への外部からの干渉支配に関する問題・困難	教員組織の地域差学校差の問題・困難	事務局職員の組織構成に関する問題・困難	専門教科教員整備に関する問題・困難	教員待遇その他人事に関する問題・困難
問題・困難に当面している地教委の数	420	513	37	738	33	74	94
調査地教委数1525に対する割合	% 27.5	33.6	2.4	48.4	2.2	4.9	6.0

は交通の便や給与の良い特定の地域に近接していて教員の転出がはげしく、⑵へき地（山村または漁村）のため就職希望者が少ない、等の理由で人事交流・教員組織の改善にたえず悩まされているといったところである。（永岡一九五四、二五頁）

義務教育費国庫負担制度はできても、へき地教育振興法が制定されても、実際に「人事交流をはじめ異動が思うようにでき」ないことが、「地理的条件の不利」な地域にとっての教育上の問題だったのである。

このような事態を解決するためにとられるようになったのが、多くの場合、県の教育委員会が主導した「広域人事」の制度である。

先に引用した国立教育研究所の調査によれば、一九五四年の時点では、大多数の市教委（九二%）は、県とは独自に教員人事を「自主的に決定して行っている」と答えていた。町

表４－７　人事における道府県との関係（市町村別）

教委数・％ ＼ 道府県との関係		道府県に実質的には委任している	実際には道府県の指示によっている	自主的に決定して行なっている	その他の回答
市	教委数	—	5	137	7
	調査教委数149に対する割合	—	3.3%	92.0%	4.7%
町	教委数	34	53	163	26 （不明７）
	調査教委数276に対する割合	12.3%	19.2%	59.1%	9.4%
村	教委数	152	318	496	121 （不明45）
	調査教委数1087に対する割合	14.0%	29.5%	45.6%	10.9%

や村の教育委員会になると、その比率は低くなるものの、標準法の世界の誕生前の時代には、教育人事においても、市町村の自由裁量の度合いが強かったことが、この調査からうかがえる（表４‐７）。

しかし、一九五六年に制定された「地方教育行政の組織及び運営に関する法律（いわゆる地教行法）」を契機に、次第に県教育委員会による教員人事への発言権が強まっていった。よく知られるように、この法律制定以前の戦後の公立小中学校教職員は、市町村の職員であった。それがこの法律が施行されることにより、「県費負担教職員」となり、その任命権も県が持つようになった。この制度のもとで、教員の人事は、市町村教育委員会の内申を得て、各都道府県教委が行なう仕組みができあがったのである。これにより、内申を得るとはいえ、「市町村の壁を超えた人事交流が容易に」なったといわれる（佐藤・若井一九九二、一九頁）。

しかし、この法改正をもって、広域人事の制度が自動的に広まったかと言えば、そうではない。国による法制度の整備だけでは、とりわけ僻地にすぐれた教員を配置する仕組みがすぐさまできあがったわけではないのである。それを推し進めた力の源泉は、「地理的条件が不利」な地域に対し、広域の人事交流を行なうことによって、「教員組織の地域差学校差の問題・困難」の解決を図ろうとした地方の側の努力にあった。

文部省が発行する『教育委員会月報』の一九六四（昭和三十九）年の各号では、計一二回にわたり、「新教育施策めぐり」という連載をし、いくつかの都道府県の教育長が執筆している。これら一二回の連載のうち、五人の教育長が、僻地教育や広域人事をテーマにした文章を載せている（ほかのテーマで執筆しているが、その中で広域人事にふれたものがほかに一つある）。これは、偶然とは思えない比率である。おそらく、六〇年代の前半にあたるこの時期が、都道府県教委にとっては、僻地教育に関わる人事交流や広域人事の仕組みづくりの時期と重なっていたのだろう。新たに始めた人事交流や広域人事の諸施策について論じることが、「新教育施策」の名に値するテーマだと見なされていたと思われるのである。広域人事の制度が歴史的にどのように成立していったかを示す全国調査の存在を寡聞《かぶん》にして知らないが、『教育委員会月報』という雑誌において、偶然とはいえない頻度でこうしたテーマが取り上げられていたことから、教員配置という面での教育の標準化が六〇年代に進んでいったことがうかがえる。

それでは、新しい人事の仕組みづくりは、どのように進められたのだろうか。制度導入の背景と、制度化の過程がよくわかる静岡県、岐阜県、福島県の例をもとに、検討しよう。

静岡県の場合

連載の三回目を担当した静岡県教育長の鈴木健一は、「広域人事は戦前はほとんど問題にならなかったから戦後の事情の変化によるものと考えられる」と述べ、その理由をつぎのように説明する。

第一に「社会的要因」として、「戦前は官吏的自覚の下に命のままに異動を了承した人々も、戦後は生活安定第一主義になり、使命とか栄転よりは現状の安楽を求めて異動を希望しない傾向が生じた」。第二に「給与制度」として、「給与のうち地域給の差別は、都市部教職員をその地区に定着させて郡部との交流を阻害したことはなはだしい、地域給はその後一部を改正し、暫定手当制度に変わったが、差別は依然残っている」という。そして、第三に「人事制度」として、「教育委員会制度の発足と共に地方分権尊重のたてまえから、任免権は県教育委員会にあっても市町村教育委員会の内申をまって発令することになり、地方教育委員会との調整が事実上必要となり、全県的配置計画と市町村の事情との調和は種々の問題を引き起こした」と指摘する（鈴木一九六四、二二一～二二三頁）。

戦前においてどれだけ広域人事がスムーズに行なわれたかについては、戦前に存在した著しい教育格差を念頭におくと、鈴木の言うところをそのまま受け入れるわけにはいかないだろう。だが、ここに示されている「戦後の事情の変化」についての認識は、教員の人事制度をめぐる県教委と市町村教委との力関係を考える上で重要である。

先に国立教育研究所の調査の結果から、一九五四年時点では、県教委よりも市町村教委の自主的な判断＝裁量が教員人事を動かしていることを見た。市町村教委の内申権の行使が、広域人事の妨げになっているという事情は、地教行法が成立した後の一九六〇年代に入ってもまだ続いていたことが、この鈴木の論述からも明らかとなる。

それに対し、鈴木は、広域人事の必要性をつぎのように訴える。

教育の機会均等の理念からすれば、地域によって教職員の組織構成に差違があるべきではない。男女の比率、経験年数、学歴、免許科目等についてつねに公平の原則をもって臨むべきである。（鈴木一九六四、二二三頁）

こうして、「教育の機会均等の理念」を掲げることで、教員人事があまりに地方分権尊重に偏りすぎていることを批判するのである。

このような認識に基づき、静岡県では「なんとか広域人事――この場合、郡部と市部との交流、山間部と平坦部との交流、教育事務所管内相互の交流等をさす――を推進しようと年々努力を重ねてきた」という。そして、それを実現すべく、一九六一年から「広域人事交流を促進し教育の機会均等をはかる」を目的に掲げた人事異動方針を立て、それを公表した上で、異動を実施してきたというのである。

その成果を示すため鈴木は、人事異動の配置換数を分母にとり、そのうちどれだけが広域人事であったのかを計算している。その結果、昭和三十（一九五五）年度末には二六％、昭和三十五（一九六〇）年度末には二九％であったのが、三十六（一九六一）年度以後は、三五％、三七％、三八％と年々徐々にだが広域人事の割合が増えている。この静岡県の例は、県教委が広域人事の実施に乗りだし、一九六〇年代に次第に、それが拡大していったことを示している。

岐阜県の場合

つぎにみる岐阜県の事例は、広域人事を実際にどのように行なうかを示す例として興味深い（伊藤一九六四）。以下、伊藤一郎の論考をもとにその要点を紹介する。

岐阜県には、当時公立小中学校が分校を含めて八二九校あったが、そのうちの二三％が僻地指定校だったという。それだけに、「全県的に見ても、僻地学校の人事行政をどのようにするかは、県の教育行政上重要な問題」であった。

その岐阜県では、昭和三十二年度末の人事以来、新任教員は例外なくすべて僻地指定校に配置するという新任教員の「計画的配置」を開始し、現在（昭和三十九年）に至っているという。また、小中学校の新任校長についても、昭和三十三年度末の人事異動以来、僻地への配置とする「計画配置」を実施しているという。そして、新任教員の場合、僻地で二年以上勤務した後に、希望地への転出をできるだけ考慮するという「行政上の約束」を実現してきたというのである。

しかし、そこにはさまざまな問題があったと、教育長の伊藤は言う。たとえば、「へき地は新任教員の実習場と化し、利用されるだけで一人前になるとすぐ転出してしまっては意味がない」といった批判や、新任校長の場合も、「真の教育は地域を知ったものしかできない」「三年経ったら転出するという予期感が強くておちつきがない」といった指摘があった。それゆえ、「こうした新任教員、新任校長の計画配置は、『新任』という条件の中で行われるものであって、教育行政としては比較的安易な方法であるとも言えよう」とその限界を認めていた。

そこで、昭和三十六（一九六一）年度末人事異動から発足することとなったのが、「中堅教員へき地派遣制度」である。三十〜四十歳くらいまでの中堅教員を三年間、僻地に派遣するという制度である。

ところが、初年度はこの制度はうまくいかなかった。「八十名余」の中堅教員を派遣したのだが、単身赴任が多く、「悲壮感さえ伴っていた」という。そこで、「県では壮行会をひらき、各市町村教育委員会でも校長会と共同主催で激励会を開いて、その活躍を励ました」とある。県による壮行会や市町村教育委員会の激励会を開く必要があったほど「悲壮感」を伴う赴任だったということである。

しかし、俸給一号俸の特別昇給、赴任地の距離に応じた特別研修旅費の支給、三年後に出身市町村教育委員会管内の学校への復帰の約束、将来、校長・教頭候補選考の場合の条件として重視するといった待遇改善を通じて、次第に中堅教員の派遣が定着しつつあるというのがこの伊藤のレポートである。

福島県の場合

新任教員や新任校長を頼りに僻地指定校への異動を行なっていた岐阜県に比べ、つぎに見る福島県の例は、早い時期からより一層の制度化が進んだ例だと言える。

教育長の折笠与四郎は、福島県が広大な面積を持ち、積雪の多い山間僻地を持つこと（僻地校率二一・四％）を指摘した上で、「戦後、教育の機会均等が叫ばれ、本県においては、へき地教育の振興がいち早く取り上げられた」と指摘する（折笠一九六五、二九〜三〇頁）。そして、戦後から昭和二十七（一九五二）年までは、「原則として新任教員をへき地に赴任させる方針をとってきた」という。先に見た岐阜県のやり方と同様である。

しかし、「せっかく一人前の教員に仕上げた教員が次々に二年ないし三年で転任してしまうのではやりきれない」といった批判や、「都市や平地の学校で経験を積んだ教員の配置を望む」といった意見が強く出され、昭和三十七（一九六二）年度末の人事から、つぎのような方針に改めたと報告している。

その概要のうち、重要な点を抜粋する。

1、相当期間（校長三年以上、教員二年以上）へき地校に勤務し転出を希望するものについては優先的に考慮する。

2、昭和二十八年以降の採用者で二年半以上平地校に勤務した者は原則としてへき地に転出させる。

3、校長への昇任にあたっては、へき地または農山村に勤務の経験を有する者から選考するよう特に考慮する。

このようなルールをつくり、さらには各教育委員会事務所管内の学校を、都市部や大規模町村の学校（A地区学校）、平地の学校（B地区学校）、僻地校（C地区学校）といった区別をして、また全県下の学校を、a地区学校（福島市、郡山《こおりやま》市、会津若松市、平《たいら》市〔現・いわき市〕の学校）、b地区学校（a、c地区以外の学校）、c地区学校（人事委員会指定の僻地校）と三つのカテゴリーに分け、

1、管内の異動では、A↓A、C↓Cの交流は行なわない。

2、管外の地域交流においては、a↓a、c↓cの交流は行なわない。

というルールをつくっている。つまり、同じ事務所管内の異動でも、異なる事務所間の人事交流でも、都市部から都市部への異動や、僻地から僻地への異動は原則行なわないようにすることで、できるだけ多くの教員がさまざまな地区の学校を経験する仕組みをつくったのである。

しかも、校長に昇任する際には、必ず僻地校または農山村校を経験していることを明文化し、「絶対的資格要件」にしたというのである。さらには、中堅教員の僻地校勤務を促すために、「勤務成績優秀な中堅教員」が僻地校に赴く場合には、「抜てき人事等の優遇措置を講

ずる」としている。すでに実施されている、特別昇給などの給与面での優遇に加え、「特別派遣教員」として、「指導主事のような役割」を与え、一定期間終了後は、抜擢《ばってき》人事の対象にするというのである。

このような県の積極的な取り組みによって、僻地交流の実績が上がっている、と折笠教育長は見る。昭和三十七年に僻地校の教頭から校長に昇進した件数は六名であったが、昭和三十八年にはそれが二二名（新任校長のおよそ四分の一）にまで増えたと、その実績を示している。

また、人事異動件数全体に占める僻地校との交流人事の割合も、昭和三十八年度においては、同一管内では三三・一％、管外との交流では三八・四％を占めたという数字を挙げ、「この数字は相当の成果を収めたものと思っている」と評価している。

このような福島県の例は、広域人事の一つの典型と見ていいだろう。その特徴は、県内の地域や学校をいくつかの類型に分け、その類型間での異動のルールを定め、どの教員も、僻地校を経験するという原則を立てたり、昇任にあたっての条件とするといったものである。「教育の機会均等」を理念として掲げ、市町村立学校教員人事へのこうした「県の介入」によって、僻地への教員配置の「計画化」、「公平化」が推し進められていったのである（註4）。

地方分権の空洞化

このように、一九六〇年代を通じてそれぞれの県で、人事交流や広域人事の仕組みが整えられていった。それは、同一県内にあった教員配置上の差異を、市町村を越えた範囲で教員の異動を促すことによって、教員という教育資源の配分を均質化しようとする試みであった。へき地教育振興法等の諸施策によって財政的な基礎を与えられた「教育機会の均等」策を、教員の配置を通じて実現するための制度化がこうして進められたのである。学級規模、給与面での標準化やカリキュラムにとどまらず、教育の担い手の配置にまで及ぶ教育の標準化が具体化していったのである。それは、ある空間的な範域(=「面」)の中では、教員の配置や構成を含めて、できる限り教育条件を同じようにしようとする「教育機会の均等」の表現型であった。それぞれの学区や学校が人事権を持ち、教員の同一校への長期勤続が許される、アメリカのように分権化された仕組みではなしえない、「面の平等」を徹底させる仕組みがこうして誕生したのである。

しかしながら、広域人事の仕組みは、必ずしもスムーズに制度化されていったわけではなかった。静岡県教育長の鈴木健一が指摘していたように、そもそも広域人事制度は、教育の地方分権の尊重といった価値と鋭く対立するものだったからである。教育の地方分権を前提に出発した戦後教育にとって、市町村の内申権を尊重することは、現在考えられている以上に、広域人事や人事交流を妨げる当然の価値として認められていた。たとえ地教行法が制定され、県が教職員の任命権を持つようになっても、市町村の内申権を無視して強権的な異動人事を行なうことはむずかしかったのである。その意味で、内申権を持ち、公立小学校、中学校の設置者である市町村と、給与支給者である都道府県との二重の関係の中で、教員人事の面で、次第に県の力が強くなっていく過程が、広域人事の制度化であったということができる。それだけに、それを市町村教育委員会側から見れば、次第に内申権が軽視ないし無視されていく過程でもあった。県を単位にした義務教育教員人事の制度化が進むことで、教育の地方分権が空洞化していく過程と重なり合っていたのである。換言すれば、地方分権を犠牲にすることで、教育機会の均等の実現を求める、そういうアンビバレンスを抱えるものとして、広域人事の制度化が進んでいったのである。

しかも、「公平」の名の下に、どの教員にも一定期間の僻地校勤務を機械的に求める制度は、個人としての教員の権利とも言える「生活安定第一主義」とも鋭く対立するものであった。教員の希望を尊重すれば、「利便地」の学校に勤務し続けたがる教員を無理矢理異動させることはできない。そうなれば、新任教員や新任校長を僻地に配置するという方法しかとれなくなる。他方、個々の教員の希望によらず、全県という視野で「面の平等」を重視すれば、誰にでも一定期間僻地校勤務を義務づけたり、昇進や給与面での優遇措置をインセンティブとして、僻地校勤務を促すしかない。教員個人の働く権利との衝突は、とりわけ戦後、個人の権利意識が強くなっていた時代には、簡単に乗り越えられるものではなかった。「組合つぶし」とか「報復人事」といわれるような、政治的意味合いでの異動命令がまったくなかったわけでもなかった。これより少し後の時代の記事になるが、日本教職員組合が発行している雑誌、『教育評論』には、そうした政治的な色彩の濃い人事異動が、「教育正常化」の名の下で行なわれたこと、それに対し県教組が異議申し立てを行なっていることが示されている（中野一九八〇）。また、進歩的教育学者の集まりである教育科学研究会編の雑誌、『教育』一九六〇年六月号に、教育学者の平原春好の「教員の人事異動」と題する短文が掲載されているが、そこでは六〇年度の人事異動において、勤評闘争との関わりで行なわれた「差別人事」への言及がある（平原一九六〇）。「五五年体制」下での左右の政治対立を背景に、県教育委員会と教職員組合との対立は、広域人事を「たたかい」の舞台へと押し上げたのである。

下からの強い意志

このように見ると、教員の配置までも含めて、一定の空間的・地理的範域の内部で、義務教育の地域間格差を是正しようとした試みが、簡単に、自然にできあがったわけではないことがわかる。教育の地方分権の理念とも齟齬《そご》を来し、教員個人の希望尊重の原則とも衝突するなかで、教員の異動を統制することで実現しようとした「教育機会の均等」。そこには、各都道府県教育委員会の「強い意志」が込められていた。教員の配置を、一定程度の強制力やインセンティブを通じて実現しようとした仕組みだからである。その過程で力を持った論理の一つは、どの教員にも「公平」に負担を分担させるという、これまた均等化の考え方に根ざした正当化の論理だった。教育機会の均等を実現するために、教員人事にも均等化の原則が用いられたのである。

このように広域人事や交流人事の仕組みは、それぞれの県の判断で行なわれたものであり、そのやり方も進め方も、県ごとに異なっていた。その意味で、国が一斉に進めた制度化ではなかった（註5）。地教行法の制定という国による制度化だけで、広域人事の仕組みが普及したわけではなかったのである。にもかかわらず、やり方や進め方には濃淡あれ、多くの県で、こうした広域人事や人事交流の仕組みが組み入れられていった。

一方、国が準備したのは、都道府県間での教育資源配分の仕組みが、逆進的なものから累進的なものへと変わっていく標準法の世界であり、それをより精緻なものとするためのへき地教育振興法やそれと関連する施行規則等の制定であり、さらには県に教職員の任命権を与える地教行法の制定であった。先述のとおり、累進的な資源配分の仕組みは、知られざる「静かな革命」を通して実現した。こうして財政面での累進的な仕組みが自然にできあがっていたことを土台に、へき地教育振興策が加えられる。さらにその上に、これらの仕組みをより実効あるものにするためには、地教行法により与えられた任命権を盾《たて》に、さまざまな対立や衝突を乗り越えてもなおやり抜こうとする、広域人事の制度化に向けた地方教育行政側の強い意志があった。

どんなに国が、教育の施設設備の標準化を進め、教育内容の標準化を図ろうと、学級編制の標準をつくろうと、さらには、教員の処遇を全国的に均質化する制度を準備しようと、日本という空間の範域に散在する義務教育の諸学校間の教育条件を「均等」にするためには、空間的な移動の統制という手段を通じて、教育の実施主体である教員の均質化を実現しなければならなかった。ところが、この「面の平等」を実現するための、その画竜点睛《がりょうてんせい》にあたる教育の標準化の最後の一手は、国の主導によっていたわけではなかったのである（註6）。

多くの県が、それぞれの範域内部での教育の地域間格差を是正しようという強い意志をもっていた。その意志の発現として、教員の配置にまで力を行使しようとした。それぞれの県で起きた人事の広域化によって、範域の隅々にまで行き渡る、教育の担い手にまで及ぶ教育の標準化が可能になったのである。その結果、個々の「面の平等」化が、日本という範域全体の「面の平等」化へと重なり合うようにして集合化されていった。それを可能にしたのは、地方分権や教員個人の尊重といった戦後的な価値観に抗う形での、それぞれの都道府県の強い意志であった。それぞれの地域で同型的に進められた広域人事や交流人事の仕組みを主導した「教育機会の均等」の理念は、それもまた戦後的な価値の一つではあったのだが、こうしてそれぞれの「面の平等」の重なり合いという形をもって実現することとなったのである。

註

1、ここで一九六五年度ではなく六四年度のデータを使っているのは、文部省学校基本調査において六五年度の公立小中学校本務教員数のデータが表示されていなかったことによる。

2、二〇〇四年に文部科学省は、義務教育費国庫負担制度に総額裁量制の導入を決定した。これにより、教育費の算出方法は同じでも、それをそれぞれの地方がどのように使うかの裁量は格段に増した。にもかかわらず、配分されるべき教育資源の算出方法に変化はなかった。標準法の世界のDNAはこうして生き残ったのである。

3、なおこの史料の発見には斉藤泰雄（二〇〇四）を参照した。

4、教員の人事行政についてまとめた佐藤・若井の研究によれば、長野県では一九五六年度から「全県的視野からの徹底した広域人事を行なうために」毎年度、「県教委と市町村教委とのあいだで人事に関する『了解事項』を取り交わし、地域間、都市・平たん地と山村へき地間の異動」などを行なってきたことが指摘されている（佐藤・若井一九九二、一二二頁）。その一方で、東京都のように、「希望と承諾の原則」を旨とする人事行政が、一九八一年まで見直されることなく続いていたという指摘もある（佐藤・若井一九九二、一二一頁）。広域人事への取り組みのあり方や進め方自体の温度差が都道府県間に色濃くあったことを示している。裏返せば、それだけ国による統制によってこうした制度ができあがったわけではないことの証左である。

5、実際に現在の神奈川県のように、各教育事務所管内の人事が中心で、全県での広域人事がほとんど行なわれていない県もある。

6、ただし、このような各都道府県の動きの背後に、文部省の「指導」や「誘導」がまったくなかったかと言えば疑問が残る。それというのも、次のような資料が残されているからである。時事通信社刊の『内外教育版』（一九六二、一三五七号）には、「へき地に優秀教員を確保」と題して、つぎのようにある。

「文部省は三六年度末から三七年度初めにかけて各都道府県教委がおこなった公立学校教職員の人事異動で、へき地学校における優秀教員確保の傾向がみえはじめたことに満足しており、今後この方針を堅持するよう各都道府県を指導していくことになった。（中略）

そこで残された大きな課題は、へき地学校に優秀な教員を配置することにしぼられているが、これまで同省がとってきたへき地教員の優遇措置にもかかわらず、その教員構成は都市部のそれに比較してきわめて劣っており、この問題の解決なしではへき地教育の向上は望めない状態であった。

しかし文部省が調べたところによると今回の教員異動ではこの文部省が希望していたへき地人事交流方針がある程度貫かれており、この方針が堅持されれば教員問題から生じるへき地教育の悪条件は近い将来解消されるのではないかと同省はきわめて楽観的な見方をしている。

同省の調べによると、今回の異動では新規採用教員の約三分の一がへき地勤務になっていて必ずしも優秀な人材の確保に適合しないものの、一方では校長に昇任する場合はまずへき地学校へという線を打ち出している七県のほか、逆にへき地学校経験者から校長昇格者を選ぶというのが四県あり、いずれもへき地学校との人事交流の点ではかなりの進展を示している。しかし一般教員については明確な交流基準を打ち出しているところがなく、新規採用者を除いてはまだ問題はのこされている。文部省ではこのような積極的な人事交流がきっかけとなって、へき地の教員構成と教育内容の向上に協力する動きが全国的に広がるものとみており、従来、教育関係者の間に生じていたへき地赴任をべっ視し、左遷人事であるといったような考え方は徐々にすたれていくのではないかと同省ではいっている。

へき地勤務が敬遠される理由として、(1)通勤の困難、(2)医療機関の不足、生活物資の入手難、(3)文化・娯楽施設の不備などがあり、これらを克服して勤務しなければならないので、文部省としては教員の人事行政方針確立にあたってはへき地勤務経験者の優遇策をさらに徹

底させることによって、へき地学校と都市部学校間の格差の解消につとめていく意向である」（九頁）

「へき地学校と都市部学校間の格差の解消につとめ」るために、各都道府県の「教員の人事行政方針確立」に文部省の意向が浸透していた可能性を示唆する資料である。しかし、当時の地方教育行政の仕組みを前提とすれば、文部省にできることは、間接的な指導や誘導であって、直接的に手を下すことはできなかった。その意味では、やはり最後の一手は、各都道府県の判断にゆだねられていた。国の意志が強く働いていたとしても、それを引き受け、実際に行動に移すためには、それぞれの県の強い意志が必要であった。その重なり合いが、面の平等をつくり出す基盤となったという本章の結論は、その意味で、妥当なものと言える。

＊データについて

本章で教育費の分析を行なうに際し、戦後のデータについては、文部省『学校基本調査』『学校教員統計調査』『地方教育費調査』の各年度版を用いた。

第五章　標準化のアンビバレンス

1　全国一斉学力調査とその再分析

調査の実施

これまでの章で明らかにしてきたことを背景におくと、一九六一（昭和三十六）年に、初めての悉皆による全国学力調査が実施されたことの意味が再度浮かび上がってくる。その報告書が『全国中学校学力調査報告書　昭和三六年度』（一九六三年二月刊）である。この全国一斉学力調査は、僻地教育の振興を含め、「教育機会の均等」を目的に掲げた教育の標準化が着々と進む中で、義務教育の修了段階である中学二、三年生に対して、すべての学校を含む形で行なわれた。

この報告書の序文は、当時文部省調査局長であった天城勲（のちの事務次官）の手による。

第四章で見たように、へき地教育振興法を手がけた文部官僚である。この序文には、悉皆による学力調査の目的がつぎのように記されている。

その目的は、中学校における学習指導の改善と教育条件の整備のための全国的な規模をもった基礎資料を得、これによって学校間、地域間の隔差《ママ》を是正し、学力水準の向上をはかり、もって教育の機会均等の実質的な確保をめざすものである。（文部省一九六三、序文：ページ番号なし）

この序文に明確に示されているように、「学校間、地域間の隔差」の是正、「教育の機会均等の実質的な確保」の基礎資料となることに、悉皆による全国学力調査のねらいがあった。そしてそのことを具体的に示しているのは、報告書の構成にふれた序文のつぎの箇所であった。

「第Ⅱ部B　学力差の実態」「C　学力差の分析」は、学力と教育条件との関係をさまざまな角度から比較、考察している。これは、悉皆調査によって初めて得ることができた豊富な資料を用い、学力に影響を与える条件にはどのようなものがあるかという観点から、個々の条件と学力との相関関係を詳細に分析したものである。(文部省一九六三、序文：ページ番号なし)。

さらに、調査結果の活用として、つぎのような文章が続く。

これらの調査結果は、国、教育委員会、学校の各段階で、いろいろな観点から検討され活用することができる。その主要なものをあげると、国においては「第Ⅱ部D 教科別にみた学習の到達度」を教育課程に関する諸施策を樹立する資料として利用することができ、「C 学力差の分析」は教育条件の整備および育英、特殊教育施設などの拡充、強化の資料として役立たせることができる。

教育委員会においては、「D 教科別にみた学習の到達度」によって学習指導を改善する資料をうることができるし、「C 学力差の分析」は教育条件を整備するための有益な指針となるであろう。

さらに、学校においては「B 学力差の実態」によって自校や個々の児童生徒の学力水準を全国的な比較において知り、「D 教科別にみた学習の到達度」によって生徒の学習指導を改善し、その学力の向上をはかることができることなどである。(文部省一九六三、序

表5－1　へき地の平均点

教科	第2学年		第3学年	
	平均点	全国平均点との差	平均点	全国平均点との差
	点	点	点	点
国語	47.9	−9.1	52.2	−8.5
社会	41.4	−9.5	45.1	−8.6
数学	53.6	−10.6	45.6	−11.6
理科	50.3	−7.2	45.0	−8.2
英語	57.7	−10.5	55.1	−10.1

文：ページ番号なし)

これらの文章から浮かび上がるのは、「教育の機会均等の実質的な確保をめざす」ために、「学校間、地域間の隔差」の実態を把握し、それを基礎資料に、政策立案を目指そうとする文部省の強い姿勢である。しかも、国レベルにとどまらず、それぞれの地域や学校でも、調査の結果を生かして、「教育条件を整備」することや「学力の向上を図る」ことが推奨されている。そして、実際に、報告書の第Ⅱ部「B 学力差の実態」と「C 学力差の分析」では、「教育の機会均等の実質的な確保」という政策課題に応えるための詳細な分析が行なわれている（註1）。

たとえば、「へき地の学力」については、つぎのような分析結果が示されている（表5－1、図5－1）。これらの結果をもとに、報告書はつぎのように言う。

へき地学校の学力は、全国平均に比して平均点で八点以上の

差があり、著しく低い。（文部省一九六三、四七頁）

図が示すように、へき地では得点の低い生徒が他の地域に比して数多くいるが、得点の高い生徒も相当見られ、生徒個人の学力差はちいさくない。（文部省一九六三、四七頁）

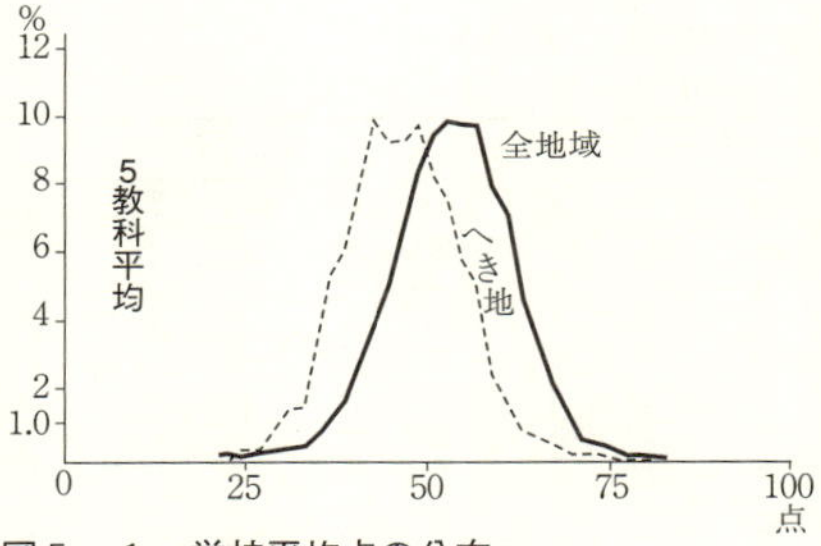

図5－1　学校平均点の分布

さらに、都道府県間の教育条件の差異と学力との関係を見ようとする分析も行なわれていた。この報告書では、都道府県名をのせることなく、つぎの表5－2が掲載されている。悉皆調査によってはじめて都道府県別の学力の実態を正確にとらえることができたと指摘した後で、つぎのような説明が続く。

結果を見ると、もっとも平均点の高い都道府県と、低い都道府県とでは、最低一六点以上の差があり、都道府県間の学力のひらきはかなり大きく、この差は後述の地域類型別の学力差よりも大きくなっている。（中略）義務教育の最終段階である中学校において、都道府県間にこのような学力差があることは望ましい姿ではない。この差は、一応は各都道府県の経済力、文化度等に相当のひらきがあることにもよると考えられる。（文部省一九六三、三〇頁）

表５－２　都道府県間の学力の実態（1961年）

平均点数別にみた都道府県の分布

点数階級	第２学年					第３学年				
	国語	社会	数学	理科	英語	国語	社会	数学	理科	英語
点　　点	県	県	県	県	県	県	県	県	県	県
72.0～73.9	—	—	1	—	5	—	—	—	—	—
70.0～71.9	—	—	1	—	7	—	—	—	—	3
68.0～69.9	—	—	3	—	7	1	—	—	—	6
66.0～67.9	—	—	7	—	9	1	—	—	—	10
64.0～65.9	1	—	6	1	3	1	—	2	—	5
62.0～63.9	1	—	8	2	9	6	—	5	—	9
60.0～61.9	2	—	3	8	1	10	1	4	—	7
58.0～59.9	5	—	7	3	1	8	3	8	3	1
56.0～57.9	7	3	6	10	1	5	7	3	5	1
54.0～55.9	11	4	1	7	3	8	6	6	7	1
52.0～53.9	4	8	1	10	—	5	7	3	7	2
50.0～51.9	7	3	2	2	—	—	7	7	8	1
48.0～49.9	5	11	—	2	—	—	10	4	8	—
46.0～47.9	2	6	—	1	—	1	2	1	5	—
44.0～45.9	1	5	—	—	—	—	2	2	1	—
42.0～43.9	—	3	—	—	—	—	1	1	2	—
40.0～41.9	—	2	—	—	—	—	—	—	—	—
38.0～39.9	—	1	—	—	—	—	—	—	—	—
計	46	46	46	46	46	46	46	46	46	46

都道府県別にみた平均点の最高と最低のひらき

	国語	社会	数学	理科	英語
第２学年	20点	18点	22点	18点	18点
第３学年	22	18	22	16	20

このように、一九六〇年代初頭には、教育条件の差異を反映するものとして、都道府県間の学力格差が問題にされていた。ただし、国、県、市町村、私費を合計した公教育費総額（一学級あたり）と、学力テストの結果との間には明確な関係がないことも、同じ報告書が指摘している。したがって、都

道府県の学力差が、教育費の格差によって直接もたらされたものかどうかは、この報告書からはわからない。それでも、市町村負担分の教育費や、保護者が支出する私費と学力との間には明確な相関関係があることが示されており、さらには、地域類型（都市部か、農村部かなど）と学力との関係もはっきり出ている。それゆえ、地域類型別の学力差よりも都道府県間の格差のほうが大きかったという報告書の指摘は、六〇年代初頭までの日本の教育において、地域間の教育格差が依然として無視できない大きな問題であると認識されていたことの一つの証左といえる。

しかも、この報告書では、家庭の経済的条件と学力の関係、学校の設備や教員の数や資格と学力との関係についても詳細な分析が行なわれていた。そして、家庭の経済的な条件によって生徒間に大きな学力差があることが確認されている。

調査のねらいにも明記されていたように、「教育の機会均等の実質的な確保」をめざす上で、地域間の大きな学力差は、「望ましい姿ではない」と当時の行政担当者に認識されていた。そこには、家庭の経済条件の差異も、地域の「経済力、文化度等に相当のひらき」も反映していると考えられた。こうした状態を、いかに改善するか。その方途を探ることが、教育の機会均等を「実質的に確保」するための課題だという認識が、当時の学力調査には込められていたのである。

いや、別の見方をすれば、教育の標準化が着々と進められていた時代を背景におけば、このような悉皆による全国学力調査を実施すること自体が、教育の標準化をもう一段推し進める教育施策だったということもできる。全国一斉学力調査が提供する学力の全国平均という尺度を与えられ、テストの得点と関連すると考えられた教育条件のいくつかが数量化になじむ形で提示される。これら標準化された基準を参照点にして、「教育条件」の改善や「学力の向上を図る」施策が、それぞれの地域や学校で始まることになるからである。

当時の文部省は、むやみな競争を避けるという名目で、都道府県ごとの名前をつけた結果の公表は行なわなかった。しかし、それぞれの都道府県や市町村は、「教育条件」の改善や「学力の向上を図る」ために、全国の結果や隣接地域との比較を通して、競争状態に入り込んでいった。そこに過度な競争があったことは否定できない。その弊害については、つとにこれまでの研究が知らせるところである。

学テ闘争の意味

たしかに戦後教育史の定説が説くように、全国学力調査は、スムーズに行なわれたわけではなかった。また、さまざまな弊害を生むものでもあった。ここでも左右対立の時代を背景に、いわゆる「学テ闘争」と呼ばれる、激しい学力テスト反対運動が起こった。その対立はどのようなものだったのか。反対派の急先鋒であった日教組の言い分を、当時副委員長の鈴木力の言説から取り出してみよう（『内外教育版』一九六一、一二八九号）。対立の構図を浮かび上がらせることで、標準化のさらなる進展の隠された仕組みに迫れるからである。

反対派は全国学力調査の実施をつぎのように見ていた。

そもそもこの調査は、経済成長に見合った労働力の配分を行うために経済企画庁の要求にもとづいて計画され、人材開発テストと称して文部省調査局が担当し、企画に当たったのが始まりである。その後、「人材開発テスト」という名が非教育的であるという批判を受け、世論の反対をおそれて「学習指導の改善」、「教育条件整備の資料とする」などと、もっともらしい教育目的を掲げて初中局担当にかわったものである。このいきさつは周知の事実である。したがって、この調査の目的の一つは、経済政策上の労働力配置のための、生徒のふるい分けの資料とすることであることは十分推察できるのである。（『内外教育版』一九六一、一二八九号、一〇頁）

ここに示されているように、日教組に代表される反対派は、文部省が掲げた全国学力調査の目的は、調査の真のねらいを示したものではないと見ていた。本当のねらいは、「経済政策上の労働力配置のための、生徒のふるい分けの資料」にすることだというのである。

さらに批判は続く。

また教育条件整備の資料を得るというが、教育条件整備のための資料は、いまさら一せい学力調査などによって求めるまでもなく、あるのである。何をどうしなければならないかは教育学者も指摘しているところであり、昭和三十一年度から実施している抽出テストの結果も出ているはずである。とすれば、文部省は整備改善の仕事をなまけているということであって、今回の調査の目的としてかかげているのは意図的なゴマカシにすぎない。

(『内外教育版』一九六一、一二八九号、一〇頁)

ここではより激しい言葉で、「意図的なゴマカシにすぎない」と断じている。学力テスト反対派の主張も、教育条件の改善が必要なことは認めていたが、それはこうした調査によらずとも可能になると見ていた。

勤務評定との結びつき

そのような「隠された意図」と反対派が見ていたのは、当時の教育界でもう一つの重大な政治的争点であった教員の勤務評定との結びつきである。全国学力調査に批判的な教育学者が実施した、香川・愛媛「文部省学力調査問題」学術調査の報告書では、学力調査の問題点として、テストのための過度な準備教育が行政主導で行なわれていること、「テスト教育体制」をつくり出していることなどの指摘と並べて、つぎのように勤務評定問題との関係を批判している。

（第四番目の問題は――引用者註）、学力テストが教師の勤務評定と結びついて、教育を「荒廃」させる原因となっている、とみられることである。勤務評定をよくするには学力調査の成績をあげなければならぬ、とされ、そのために不正な手段すら執《と》られている事例が多く語られた。ひとことでいって、教師の人権の剝奪《はくだつ》が、教師の権威の喪失、子どもの正義感の破壊に連なっていると見られることを深く考えざるをえない。（日本教職員組合一九六四、九六頁）

文部省「対」日教組のイデオロギー的・政治的な対立を背景に、教員の勤務評定の強行実施が政治問題化している時代に、悉皆による全国学力調査の結果が、教員評価に結びつくという見解が、反対運動をより強固なものとしていたのである。このような激しい対立のもとで、反対派は、調査が掲げた「学習指導の改善」や「教育条件整備の資料を得る」という目的も、国家主導の教育政策の一端を担うものとして、「意図的なゴマカシにすぎない」と否定した。むしろ、資本主義体制に従順な「人材開発」や生徒のふるい分け、さらには、教員の勤務評定に使おうというところに調査の本音があると見た。それゆえ、教育条件の整備のための基礎資料にするという目的を取り出し、その部分だけでも肯定的に評価するという見解には至らなかった。

このような学力テストをめぐる熾烈《しれつ》な政治的対立は、テストの実施にあたってもさまざまな抵抗や混乱を学校現場にもたらした。調査実施を阻む「実力行使」も行なわれた。さらには、学力テスト実施をめぐる旭川《あさひかわ》事件に端を発した裁判の第一審で、国による全国学力調査の違法性が認定されたこともあり、全国学力調査の実施は一九六五年を最後に、一九八二年の教育課程実施状況調査まで見送られることになった。しかも八二年の調査はひっそりと行なわれ、正式の報告書が発行されることもなかった（苅谷二〇〇二）。六五年以後、日本の教育政策は、学力の全国的な測定がないままに教育政策を行なうという「学力テスト忌避《きひ》の時代」を迎えるのである（苅谷二〇〇九）。

なるほど、このような歴史を振り返ると、全国学力調査を通じた教育の標準化が、ある面では、教育への国家統制の浸透やテスト体制の強化と結びつけて、厳しい批判にさらされていたことがわかる。しかし、学力調査を通じた教育の標準化というテーマで私たちが目を向けたいのは、たんなる学力競争の弊害——たとえば、テストの得点を上げることだけに汲々《きゅうきゅう》とする詰め込み教育が行なわれるようになったとか、生徒のふるい分けにつながる「差別選別教育」をもたらした等々——ではない。むしろ、こうした鋭い対立や衝突があったにもかかわらず（ある部分は反対派さえも巻き込んで）進んだ、教育の標準化と学力調査との関係に注意を払いたいのである。全国をくまなく覆い、平均点を比べる全国学力テスト体制の登場は、教育の標準化を一層推し進めることを通じて、「面の平等」を促す標準点を提供した。そのことの意味に注目したいのである。この問題を論じるために、ここでは、つぎの二つの論点について考えてみたい。

なぜ標準化は止まらなかったか

その一。すでに基準性を強めていた学習指導要領に従った内容をもとに出題されるテストが実施され、その結果が各地方教育委員会に報告された。その結果を踏まえ、それぞれの地域の平均点を上げるという共通の目標が与えられることとなった。僻地が持つ「劣悪な教育条件」の是正やその他の教育格差の是正という文部省のメッセージに後押しされつつ、域内の平均点を上げるためには、学力水準の高い地域の得点をさらに高めるだけでは不十分である。平均点を下げかねない地域へのてこ入れが必要である。もちろん、一部の地域で点数を下げかねない生徒にテストを受けさせないといった姑息《こそく》な方法がまったくとられなかったわけではないが、多くの地方教育委員会がそのような不正をしたとは思えない。さらにいえば、テストで測定された学力に批判的な教員がいたことも事実だろう。しかし、それぞれの地域内に、「劣悪な教育条件」をもつ地区が発見されれば、それらの学校に対し何らかの改善策を講じることまでも、テスト反対派が拒んだ形跡はない。日教組もまた、「文部省は整備改善の仕事をなまけている」と見ていたのであり、その改善を、教育の標準化を通じて行なうこと自体には、六〇、七〇年代を通じて学力テスト反対論ほどの激しい反対意見や反対運動があったわけではない。露骨にテスト得点の向上だけを目指すような教育に対してはともかく、それぞれの地域で、「教育条件」の改善や授業改善を通じて「学力の向上を図る」ことに反対論が唱えられたわけではないのである（註2）。

その結果、表面的には激しい対立や衝突があったにもかかわらず、その底流では、国＝文部省が直接手を下さなくとも、教育の標準化のための枠組みと財源さえ準備すれば、それぞれの地域がそれぞれの範域内で面の平等を求めて行動するようになる環境をつくり出すことにつながった。前章で見た広域人事への取り組みはその一例である。

これはそのことの傍証にすぎないが、一つの資料を挙げておこう。前章でも用いた『教育委員会月報』の連載「新教育施策めぐり」の第一二回で登場した北海道の二本木実教育長の文章である。二本木教育長は、「広域人事の促進にあたって（五ヵ年計画）」という文章の冒頭でつぎのように述べる。

昭和三十八年度全国一せい学力調査の結果、本道は小・中学校とも極めて下位の成績であったので、この反省のうえにたって、昭和三十九年度の教育行政方針の第一に「児童生徒の学力の向上」を取り上げ、その実施に鋭意努力を続けてきたところである。教育の効果をたかめるためには、児童・生徒をとりまく教育諸条件の整備が重要なことはもちろんであるが、いかに整備されても、これを実際に活用する教師にすぐれた人材を得なければ、教育効果の向上に期待をかけることはむずかしい。したがって、児童生徒の学力向上のかなめは、教育職員の人事行政のあり方いかんにかかるといっても過言ではない。そこで、道教育委員会は従来の人事行政の問題点を究明しながら、その改善に努めてきた。（二本木一九六五、二〇頁）

そして、それに続く文章の中で、具体策として、広域人事の促進のための五ヵ年計画の詳細を紹介しているのである。一例をもって全体を語ることはできないが、全国学力調査の結果と広域人事の促進との関係を示す文書と言える。

こうして、制度上は地方分権の建前が残る義務段階の教育において、それぞれの地方自治体の判断で、それぞれの範域内で面の平等を推し進める政策がとられていく。その重なり合いが、日本全体の面の平等につながるのだが、すでに成立していた教育の標準化を土台に、こうして平均点をめぐり互いを比べあう経験が、日本全体を覆う教育の均質化をさらに推し進めていったのである。

このような見方は、文部省＝国家の教育統制が強まり、文部省の上意下達によって、画一的な教育ができあがったという見方とは異なる。たしかに、学力テストをめぐる激しい対立や衝突はあった。しかし、その底流では、教育機会の均等を、教育の標準化・均質化を通じて達成しようとする見方が暗黙のうちに全国で共有されていた。また一部では、「勤評人事」や「組合つぶし人事」といった異動発令の例もあっただろう。それゆえの抵抗も抗争もあったが、広域人事の制度化に向けてそれぞれの地方が「強い意志」を発揮し、それが次第に受け入れられていった。教育機会の均等に向けての、そのような各地域と国との共鳴しあう力が、面の平等の全国化を果たす上で作動したのである。その意味で、教育の画一化は、国からの一方的な力の行使だけでできあがったわけではない。それゆえ、表面的な対立の激化から、全国学力調査が中止となったあとも、平均を高めようとする教育の標準化は止むことがなかったのである。

何を共通の尺度とするか

その二。直前に述べたこととも関係するが、全国学力テストの体制は、私たちが「教育の平等」と言うときに仮構する状態がどのようなものかを、その根底において規定する見方を提供し、強化することとなった。共通する尺度である基準をつくり出し、それをもとにそこからの偏差をもって、格差とする見方であり、その格差が縮小された状態を平等と見る見方である。

しかも、その際の偏差を算出する単位は、多くの場合、一定の範域を持つ空間＝地域である。「へき地」であれ、被差別部落や産業転換地域であれ、一定の明示的なルールに基づいて設定され、区切られた空間を単位に、それらを包摂するより大きな空間との偏差が問題とされる。そして、それをあってはならない格差と見なし、その是正、すなわち「面」としての均質化が教育機会の平等の条件であると見なされる。全国学力テストの体制は、それぞれの「面」の平均点に影響を及ぼすと見なされた教育条件の差異を、空間的に均していく。しかも、そこで注目される教育条件自体が標準化の対象となり、条件を均すやり方自体が、標準化＝均等化という方法に沿って行なわれる。そういう見方を私たちの平等観の根底に据えることとなったのである。それは個々人の差異を目立たせずに、平等状態を仮構する平等観であり、個人を単位に平等を考える「個の平等」とは異なる、「面の平等」観である。

教材基準の設定

ところで、前述のように一九六五年を最後に全国学力調査は中断されることとなった。しかし、その実施中の数年間で明らかにされた事実——とりわけ、いまだに存在した地域間の格差——は、その後の教育行政に、さらなる教育の標準化を求める形での影響を残した。その一つが、一九六七年に制定され、十年間の時限措置として進められた教材基準の設定とそのための国庫負担の制度である(「義務教育費国庫負担法及び公立養護学校整備特別措置法に基づく教材費の国庫負担金の取扱いについて」一九六七年八月三十一日、文初財第三七一号、各都道府県教育委員会あて、初等中等教育局長通達)。

そこには、『「教材基準」設定の主旨』として、この制度をつくった理由がつぎのように述べられている。

義務教育諸学校および養護学校における教育において必要とされる教材については、従来、各学校における整備の状況が必ずしも十分ではなく、また、各学校間における充実の状況も区々《まちまち》の実情にあった。／そこで、このたび、義務教育諸学校および養護学校について、その教材整備にあたってのよるべき基準を別添のとおり「教材基準」として設定し、これに準拠して教材の充足および更新を行う方針のもとに、教材費国庫負担金および養護学校教材費国庫負担金を一〇か年次計画により増額することとし、これらの学校における教材整備の促進を図ることとした。（文部省一九六七、一二三頁）

この制度により教材費の二分の一をこの国庫負担金により賄《まかな》い、残り二分の一についても、地方交付税より「基準財政需要額の算定基礎となる単位費用の算定において積算され」るとしている。つまりは、地方が負担する分も、この積算結果に応じて一般交付税を通じて国の予算がつくというわけである。そして、「別添」として、小学校については七頁、中学校については六頁にわたり、各学校で準備すべき教材の「基準」がこと細かに掲載されている（その一部を示したのが表5‐3である）。

舞台（学校の施設・設備）、台本（教科書と学習指導要領）、役者（教員）に加え、教育実践に必要不可欠と見なされた小道具までもがその細部にわたるまで標準化され、学校間の差異が出ないように配備する。そのための国庫負担制度が、「教材標準」の設定と相まって登場したのである。国がお金を出すための「単位費用」の計算に必要な標準の設定は、こうして、

17	教授用掛図（歴史）	1	1	1	1	2	2	
18	歴史年表	1	2	3	4	5	6	
19	地球儀（大）	1	1	1	1	1	1	
20	地球儀（小）	4	8	8	16	16	16	
21	日本遺物模型	1組	1組	1組	1組	1組	1組	
22	はにわ模型	1組	1組	1組	1組	1組	1組	
	算数							
1	方眼黒板（低学年用）	1	4	6	8	10	12	
2	方眼黒板（高学年用）	4	8	12	16	20	24	
3	グラフ指導用黒板	2	4	6	7	8	9	
4	数・量・形説明教具	1	1	2	2	3	3	
5	分数説明教具	2	4	6	7	8	9	
6	輪投げ	3	6	6	12	12	12	
7	教授用計数器	1	2	3	4	5	6	
8	教授用そろばん	2	4	6	7	8	9	
9	測縄	1	1	1	1	1	1	
10	車輪式距離測定器	1	1	1	1	1	1	
11	円周測定教具	1	1	1	1	1	1	
12	大分度器	2	6	9	12	15	18	
13	簡易測高器	7	12	12	12	12	12	
14	面積基本平方板	4	8	8	8	8	8	
15	面積基本単位説明教具	1	1	2	2	3	3	
16	面積基本原理説明教具	1	1	2	2	3	3	
17	円の面積説明教具	1	1	2	2	3	3	
18	リットルます	4組	8組	16組	16組	24組	24組	丸型1dℓ、5dℓ、1ℓ、角型1ℓで1組
19	メスシリンダー	4組	8組	16組	16組	24組	24組	10、20、50、100、200、1000ccで1組
20	容積説明教具	1	1	2	2	3	3	
21	体積基本単位説明教具	1	2	3	3	4	4	
22	基本体積説明教具	1	2	3	3	4	4	
23	立体求積説明教具	1	2	3	3	4	4	
24	上皿自動秤	4	8	8	16	16	16	
25	スプリング自動秤	4	8	8	16	16	16	
26	教授用自動秤	1	1	1	2	2	2	
27	秤目盛説明教具	1	2	3	3	4	4	
28	教授用時計模型	1	2	3	3	4	4	
29	教授用時計長黒板	1	2	3	3	4	4	
30	教授用秒測計	1	1	2	2	3	3	
31	時刻・時間説明教具	2	4	6	6	8	8	
32	大三角定規	5	12	18	24	30	36	
33	大直線定規	5	12	18	24	30	36	
34	大コンパス	2	6	9	12	15	18	
35	角説明教具	1	1	2	2	3	3	
36	内角の和説明教具	1	1	2	2	3	3	
37	図形構成練習教具	4	8	16	16	24	24	
38	平面図形構成教具	1	2	3	3	4	4	
39	四角形の特殊一般説明教具	1	1	2	2	3	3	
40	対称図形説明教具	1	1	2	2	3	3	
41	立体模型	1組	2組	3組	3組	4組	4組	
42	立体の展開図説明教具	1	1	2	2	3	3	
43	回転体説明教具	1	1	2	2	3	3	
44	中型積木	1組	2組	3組	3組	4組	4組	
45	小型積木	4組	8組	16組	16組	24組	24組	

表5－3　小学校各校で準備すべき教材の「基準」（一部）

番号	品目類別	学校規模 5学級以下	6～12学級	13～18学級	19～24学級	25～30学級	31学級以上	備考
	共通							
1	紙芝居舞台	1	1	2	2	3	3	
2	スライド映写機	1	2	3	3	4	4	
3	8㎜映写機	1	1	1	1	1	1	
4	8㎜撮影機	1	1	1	1	1	1	
5	16㎜映写機		1	1	1	1	1	
6	オーバーヘッドプロジェクタ	1	1	1	1	1	1	
7	実物幻灯機			1	1	1	1	
8	映写幕	2	3	4	4	5	5	
9	ポータブル電蓄	1	2	2	3	4	4	
10	録音機	2	3	4	5	6	6	
11	テレビ受像機（親）	1	1	1	1	1	1	
12	テレビ受像機（子）		1	2	3	4	5	
13	携帯用拡声機	1	2	3	3	4	4	
14	カメラ	1	1	1	1	1	1	
15	ラジオ受信機	5	12	18	24	30	36	
16	放送設備一式	1	1	1	1	1	1	
17	スライド	150組	150組	150組	150組	150組	150組	道徳を含む
18	レコード	60	60	60	60	60	60	国語、音楽、体育用
19	巻尺	5	10	15	20	25	30	等
20	ストップウオッチ	2	3	4	5	6	7	
21	行事告知板	1	1	2	2	3	3	学校行事用等
22	掲示板	2	2	3	3	4	4	児童会用等
23	掛図（交通安全防災訓練用）	1	1	1	1	1	1	
24	謄写用具一式	1	1	2	2	3	3	特別教育活動用等
	国語							
1	作文指導用黒板	1	2	4	5	6	7	
2	ローマ字用黒板	1	2	4	5	6	7	
3	習字指導用塗板	1	2	4	5	6	7	
4	教授用掛図（低学年用）	2	4	6	6	8	10	
5	教授用掛図（書写）	1	1	2	2	3	3	
	社会							
1	郷土・都道府県地図	1	2	3	3	4	5	
2	日本地方別地図	1	1	2	2	2	2	
3	日本全国地図	1	2	3	3	4	5	
4	郷土・都道府県立体地図	1	1	1	1	1	1	
5	日本地方別立体地図	1組	1組	1組	1組	1組	1組	
6	日本全国立体地図	1	1	1	1	1	1	
7	世界全国地図	1	2	3	3	4	4	
8	世界州別地図	1組	1組	2組	2組	2組	2組	
9	日本歴史地図	1	1	2	2	2	2	
10	郷土・都道府県地図黒板	1	2	3	3	4	4	
11	日本地方別地図黒板	1組	1組	2組	2組	3組	3組	
12	日本全国地図黒板	1	1	2	2	3	3	
13	世界全国地図黒板	1	1	2	2	3	3	
14	世界州別地図黒板	1組	1組	2組	2組	3組	3組	
15	教授用掛図（低学年用）	3	6	9	9	12	12	
16	教授用掛図（地理・産業）	2	2	4	4	6	6	

教育実践において使われるべき教材の指定として、そこで行なわれる教育の標準化を進めることとなったのである。

2 「学力」との関係

学力「ランキング」の変化

それでは、このようにして進展した教育の標準化は、日本の教育、なかんずく「教育の成果」にどのような影響を及ぼしていたのか。この問題の検証は容易ではない。時間軸をおいて、都道府県格差という面から見た、教育の成果の変化を示す指標が簡単には見つからないからである。

データの制約がある中で、筆者は、一九六一年、六二年、六三年に行なわれた全国一斉悉皆の学力調査の都道府県別の成績を偶然発見することができた。前述のとおり文部省の報告書では、都道府県名を公表していないのだが、その後ある新聞社が独自に各県に調査し結果を収集した記録が残っていたのである（註3）。このデータ（とくに六二年）をもとに、二〇〇七年に四十二年ぶりに行なわれた全国学力調査の結果（そこでは県別の平均正答率が公表されている）との比較を行なう。こうして、四十数年を隔てた全国学力調査のデータを用いて、県の財政やその他の社会経済的指標と、学力テストの結果とがどのような関係をもっていたのか、それがどのように変化したのかを検討するのである。

はじめに全体の概観をつかむために、基礎統計について一九六〇年代調査と二〇〇七年調査の結果を比べてみた。表5－4は、最小値（最低正答率）、最大値（最高正答率）、平均値（平均正答率）、最大値と最小値の差、標準偏差、変動係数（標準偏差を平均値で割った値）を示したものである。

テストによって平均点が異なるので、ここでは都道府県間の得点の散らばり（格差）を比較するために、標準偏差を平均点（平均正答率）で割った変動係数の値を比べる。すると、一九六〇年代の調査のほうが、おしなべて変動係数の値が大きいことがわかる。二〇〇七年調査では、応用的なB問題のほうが知識を問うA問題よりも変動係数の値が大きくなる傾向があるが、それでも変動係数の値は、〇・〇二～〇・〇六の間におさまる。それに対し、六〇年代の調査では、変動係数は〇・〇八を超えるものが比較的多く、最大では〇・一二に達している。つまり、六〇年代のほうが、都道府県間での学力テストの平均点の散らばりが大きかったということである。

それでは、一九六〇年代の結果と二〇〇七年の結果との間には、どのような関係があるのだろうか。両者の相関係数（ピアソンの積率相関係数）を計算した。小学校について示したの

表5－4　基本統計量

	度数	最小値	最大値	平均値	最大値と最小値の差	標準偏差	変動係数
61年中2国語	46	44.8	64.6	54.41	19.80	4.28	0.08
61年中2数学	46	50.7	72.1	62.20	21.40	5.13	0.08
61年中3国語	46	47.6	66.7	58.50	19.10	3.91	0.07
61年中3数学	46	43.9	65.5	55.59	21.60	5.60	0.10
62年小5国語	46	48.0	63.6	55.18	15.60	3.65	0.07
62年小5算数	46	44.0	60.4	53.20	16.40	4.41	0.08
62年小6国語	46	52.8	67.2	60.43	14.40	3.44	0.06
62年小6算数	46	37.2	56.0	47.92	18.80	4.73	0.10
62年中2国語	46	55.0	69.0	61.16	14.00	3.47	0.06
62年中2数学	46	30.0	48.8	39.05	18.80	4.69	0.12
62年中3国語	46	50.8	65.5	57.51	14.70	3.94	0.07
62年中3数学	46	31.3	49.8	40.20	18.50	4.82	0.12
63年中2国語	46	47.8	61.0	53.76	13.20	3.53	0.07
63年中2数学	46	31.8	52.5	40.45	20.70	4.85	0.12
63年中2合計	46	215.7	298.3	250.33	82.60	19.65	0.08
63年中3国語	46	49.5	62.5	55.44	13.00	3.26	0.06
63年中3数学	46	35.0	55.0	43.66	20.00	4.94	0.11
63年中3合計	46	210.9	288.3	245.57	77.40	19.29	0.08
07年小国語A	47	76.7	86.1	81.95	9.40	1.66	0.02
07年小国語B	47	53.0	69.0	62.23	16.00	3.07	0.05
07年小算数A	47	76.3	88.4	82.52	12.10	2.18	0.03
07年小算数B	47	54.3	68.6	63.24	14.30	2.41	0.04
07年中国語A	47	74.3	85.7	82.08	11.40	1.83	0.02
07年中国語B	47	64.0	77.0	72.23	13.00	2.97	0.04
07年中数学A	47	57.2	80.3	72.47	23.10	3.66	0.05
07年中数学B	47	47.6	67.6	60.84	20.00	3.47	0.06

が、表5-5である。この結果を見ると、一九六〇年代の各調査間の相関係数、および二〇〇七年調査の各項目間の相関係数は比較的高い値を示していることがわかる。つまり、六〇年代を通じて、得点の高い都道府県、低い都道府県の間には一貫性があったということである。同様に、二〇〇七年調査においても、科目間やA問題とB問題の間で、やはり正答率の高い都道府県と低い都道府県との間に一定程度の一貫性が見られたということである。

ところが、一九六〇年代の結果と、二〇〇七年の結果との間の相関係数は、それらに比べかなり小さい。それほど大きな値ではないが、〇七年の算数B問題は六〇年代の算数、国語の成績と正の有意な相関関係を示すものがある一方、国語A問題のように、有意とはいえないものの、負の相関を示すものもある。この結果は、四十数年間を隔てて、都道府県間での学力の高低の関係が大きく変わったことを示している。かつて学力テストで高い得点を上げた県が現在でも高い正答率を上げているといった関係が見られなくなったのである。

同様に、中学三年生の結果を示したのが表5-6である。ここでも、小学生の場合と同じように、一九六〇年代での教科間、年度間の相関係数は高い値を示し、二〇〇七年のテスト間の相関係数も大きい。それに比べ、一九六〇年代の結果と〇七年の結果との間の相関関係は弱い。ただし、〇七年の数学A問題の場合、正の有意な値を示すものもある。それでも、小学校の場合と同様に、四十数年を隔てて、都道府県の間の学力テストの結果には、強い一

表5－5　小学校学力テスト1962年と2007年の相関係数

	07年小6国語B	07年小6算数A	07年小6算数B	62年小6国語	62年小6算数
07年小6国語A	0. 907**	0. 890**	0. 875**	−0. 052	−0. 017
07年小6国語B		0. 798**	0. 896**	0. 191	0. 184
07年小6算数A			0. 900**	0. 044	0. 107
07年小6算数B				0. 300*	0. 323*
62年小6国語					0. 905**

**. 相関係数は1％水準で有意（両側）
*. 相関係数は5％水準で有意（両側）

表5－6　中学校学力テスト1961、62、63年と2007年の相関係数

07年中3国語A	07年中3国語B	07年中3数学A	07年中3数学B	61年中3国語	61年中3数学	62年中3国語	62年中3数学	63年中3国語	63年中3数学
07年中3国語A	0. 901**	0. 864**	0. 905**	−0. 044	0. 150	−0. 046	0. 135	0. 040	0. 146
07年中3国語B		0. 754**	0. 895**	−0. 068	0. 097	−0. 059	0. 094	0. 024	0. 098
07年中3数学A			0. 934**	0. 282	0. 488**	0. 228	0. 472**	0. 263	0. 456**
07年中3数学B				0. 188	0. 368*	0. 160	0. 361*	0. 222	0. 353*
61年中3国語					0. 908**	0. 946**	0. 897**	0. 911**	0. 901**
61年中3数学						0. 908**	0. 980**	0. 887**	0. 960**
62年中3国語							0. 912**	0. 968**	0. 918**
62年中3数学								0. 896**	0. 984**
63年中3国語									0. 927**

**. 相関係数は1％水準で有意（両側）
*. 相関係数は5％水準で有意（両側）

貫性は見られない。

ここでは表は省略するが、順位間の相関係数を計算しても、ほぼ同様の結果が得られた。つまり、都道府県間の学力テストの「ランキング」にも四十数年を経て大きな変化があったということである。六〇年代の学力テスト上位県（あるいは下位の県）が、二一世紀に入っても上位（あるいは下位）にとどまるということがなかったのである。

相関係数の計算という単純な分析から得られた結果ではあるが、六〇年代には大きな都道府県間の学力格差があったという先の知見とあわせると、この知見は重要な意味を持つ。得点間の相関関係で見ても、都道府県のランキングで見ても、〇七年との間に一貫した結果が見られなくなったということは、かつて存在した都道府県間の学力格差が大きく変化したことを示唆するからである。

豊かさと学力

つぎに、社会経済的指標と得点との関係について見る。表5－7は、小学校五、六年生と中学校二、三年生において、各県別の平均得点と、各県の財政力指数、一人あたり県民所得、千人あたりの生活保護世帯人数の比率（生活保護率）との相関関係を一九六二年について示したものである。財政力は、その県の財政的な豊かさを示す。一人あたり県民所得は、その

表5－7　1962年全国学力調査の都道府県別平均点と社会経済指標との相関係数

小学校5、6年生

	小5国語	小5算数	小6国語	小6算数
財政力指数(1962年)	0.636**	0.509**	0.593**	0.479**
1人あたり県民所得(1962年)	0.553**	0.435**	0.479**	0.328*
千人あたり生活保護率(1962年)	−0.511**	−0.466**	−0.489**	−0.512**

中学校2、3年生

	中2国語	中2数学	中3国語	中3数学
財政力指数(1962年)	0.672**	0.480**	0.652**	0.482**
1人あたり県民所得(1962年)	0.784**	0.611**	0.777**	0.607**
千人あたり生活保護率(1962年)	−0.483**	−0.478**	−0.500**	−0.483**

**. 相関係数は1%水準で有意（両側）
*. 相関係数は5%水準で有意（両側）

県の経済的な豊かさを示す指標と言え、また、生活保護率は、その県に貧しい家庭がどれだけあるかを示す指標と言える。また、一人あたり県民所得と財政力との間には比較的強い正の相関関係があり、ここでは示さないが、それぞれの県の文化的な指標（たとえば、大卒比率など）とも正の相関関係があることが知られている。つまり、単なる経済力だけではなく、文化的な差異をも表していると見てよい。

表からわかるように、一九六二年においては、県の財政力、一人あたり県民所得と、学力テストの得点との間には、比較的強い正の相関関係が存在していた。つまり、財政力の高い（豊かな）県ほど、あるいは、経済的に豊かな県ほど、その県の小中学生の「学力調査」の平均得点が高かったということである。また、それとは逆に、生活保

表5－8　2007年全国学力調査の都道府県別平均点と社会経済指標との相関係数

小学校6年生

	小国語A 正答率	小国語B 正答率	小算数A 正答率	小算数B 正答率
財政力指数（2004年）	－0.123	0.147	－0.095	0.150
1人あたり県民所得（2006年）	0.022	0.258	0.048	0.274
千人あたり生活保護率（2006年）	－0.337*	－0.399**	－0.273	－0.348*

中学校3年生

	中国語A 正答率	中国語B 正答率	中数学A 正答率	中数学B 正答率
財政力指数（2004年）	－0.074	－0.012	0.019	0.054
1人あたり県民所得（2006年）	0.100	0.106	0.215	0.204
千人あたり生活保護率（2006年）	－0.523**	－0.631**	－0.434**	－0.562**

**. 相関係数は1％水準で有意（両側）
*. 相関係数は5％水準で有意（両側）

護率は、比較的強い負の関係を示していた。つまり、貧しい家庭が多い県ほど、学力テストの平均得点が低くなるという傾向が見られたのである。

同じ指標と二〇〇七年の学力テストの平均正答率との相関関係を示したのが、表5－8である。先ほどの一九六二年の結果とは大きな違いが見られる。県の財政力や一人あたり県民所得と、テストの正答率との間には、ほとんど有意な相関関係が見られない。財政面や経済面で見た県の豊かさと学力テストの結果との関係がほとんど消えているのである。それに対し、生活保護世帯の比率は、二〇〇七年でも同様に、負の相関関係を示している。つまり、県全体の豊かさと学力との関係はほとんどなくなったのだが、貧しい世帯比率の高い県ほどテストの得点が低くなるという傾向は四十数年を隔てて残っているのである。

それでは、児童生徒一人あたり教育費と学力テストとの関係はどのようになっていたのだろうか。一九六二年の結果を示したのが、表5-9である。この表を見ると興味深いことに、小学生一人あたり教育費は、小学校五、六年生のテスト得点だけではなく、中学校二、三年生の得点とも統計的に有意な正の相関関係を示していたことがわかる。一人あたり教育費の多い県ほど、テストの平均点が高くなる傾向が確認されたのである。中学生一人あたりの教育費の影響は見られないが、小学生の教育費が多い県ほど平均点が高くなるという関係が六〇年代には存在していた。

ところが、同様の分析を二〇〇七年について行なってみると、ほとんどの項目で統計的に有意な関係が見出せなかった（表5-10）。有意な関係が見られたのは、中学校生徒一人あたり教育費と中学三年生の国語B問題と数学B問題との間であり、しかも負の相関であった。つまり、一人あたりの教育費が低いほど得点が高くなるという関係である。このようにみると、六〇年代にはあった、小学校の教育費が高いほど「学力」も高くなるという関係は、四十数年の間にほぼ消滅したといえるのである。

ただし、この分析は、二変数間の単相関によるものである。他の要因の影響を統計的に取り除いた場合に、それぞれの要因が独自にテストの結果に及ぼす影響の強さは、こうした分析からはわからない。そこで、さらに、単相関係数の分析で有意な関係の見られた一九六二年の小学生に限って、重回帰分析を行なった結果が表5-11である。ここから、いずれの要因も、有意確率一〇％で見れば、学力テストの平均得点に、独自の有意な影響を及ぼしていたことがわかる。とくに児童一人あたり教育費は、他の二つの要因を統計的に統制した上でも、学力テストの平均点に有意な正の影響を及ぼしていることがわかった。一九六〇年代に

表5-9　教育費（消費的支出）と学力テストの平均点との相関係数（1962年）

	小5国語	小5算数	小6国語	小6算数	中2国語	中2数学	中3国語	中3数学
小学生1人あたり教育費	0.606**	0.506**	0.554**	0.423**	0.515**	0.437**	0.548**	0.402**
中学生1人あたり教育費	0.321*	0.203	0.261	0.111	0.208	0.119	0.251	0.064

**. 相関係数は1％水準で有意（両側）
*. 相関係数は5％水準で有意（両側）

表5-10　教育費（消費的支出）と学力テストの平均点との相関係数（2007年）

	小6国語A正答率	小6国語B正答率	小6算数A正答率	小6算数B正答率	中3国語A正答率	中3国語B正答率	中3数学A正答率	中3数学B正答率
小学生1人あたり教育費	0.209	0.105	0.176	0.082	0.087	−0.080	0.000	−0.089
中学生1人あたり教育費	−0.002	−0.063	−0.002	−0.099	−0.188	−0.313*	−0.270	−0.329*

**. 相関係数は1％水準で有意（両側）
*. 相関係数は5％水準で有意（両側）

表5－11　1962年全国学力調査の都道府県別平均点を従属変数にした重回帰分析

	小5国語		小5算数		小6国語		小6算数	
	標準化回帰係数	有意確率	標準化回帰係数	有意確率	標準化回帰係数	有意確率	標準化回帰係数	有意確率
(定数)		0.000		0.000		0.000		0.000
財政力指数	0.430	0.000	0.313	0.019	0.397	0.001	0.273	0.047
千人あたり生活保護率	−0.208	0.053	−0.234	0.077	−0.213	0.074	−0.326	0.019
小学生1人あたり教育費（消費的支出）	0.423	0.000	0.349	0.007	0.380	0.001	0.250	0.055

独立変数はいずれも1962年のデータ

は、教育財政の多寡《たか》によって、その県のテストの平均点が左右されるという関係が存在していたのである。

「卓越と平等」の達成？

以上見たように、一九六〇年代においては、まだ、教育費の多寡と、県の学力テストとの間には明確な関係が見られた。先に引用した全国学力調査の報告書では、県名を挙げずに分析結果の紹介が行なわれたが、そこでの指摘とほぼ同じことが、データの再分析によっても確認されたのである。少なくとも、六〇年代前半までは、都道府県の財政力と児童・生徒一人あたりの教育費と県の学力テストの平均点との間には一定の関連が見られた。それだけ、社会経済的にも教育財政的にも有利な地域と、不利な地域との間には、ペーパーテストで示された「学力」の面でも格差が存在していたということである。

標準法の世界が誕生したからといって、それですぐに教育条件の均質化が達成されたわけではない。教育費の配分が、累進的な構造へと変わるのは、小学校の場合でも一九六五年以後であった。広域人事の仕組みが取り入れられるのも、六〇年代に入ってからである。もし、これらの変化が学力に一定の影響を及ぼしているとすれば、その効果が現れるまでには相応の年数が必要だったのだろう。そのようにみれば、一九六二年の全国学力調査は、教育の標準化がやっと制度化された時点での成果をとらえたスナップショットだったと見ることができる。

ところが、二〇〇七年においては、財政力や一人あたり県民所得、あるいは児童生徒一人あたり教育費といった要因と、テストの平均正答率との間には、ほとんど有意な関係がみられなくなった。この四十五年の間に、都道府県を単位に見たこれら社会経済的要因と学力テストとの関係は消えたのである。

このような変化が、累進的な教育費の配分構造の出現や、そうした財政的な基盤の上で進行した教育の標準化の直接的な成果なのかどうかはわからない。ここでの分析には含めることのできない、さまざまな社会、経済、文化的な変化が、この四十五年の間に同時に生じているからである。高度成長の恩恵を受けた豊かさの拡大や、テレビ等のメディアの普及、親世代の学歴水準の向上など、思いつくだけでも、いくつもの変化が同時に生じている。

とはいうものの、学力調査でとらえられた「学力」で見る限り、かつてのような都道府県間の大きな格差が大幅に縮小したこと、さらには、都道府県の経済力や財政力、あるいはそれらと関係していた教育費の配分と「学力」との関係（豊かなほど平均点が高いという関係）が、この四十五年間で大きく様変わりしたこともたしかである。さらにいえば、図5－2と図5－3を比べればわかるように、かつては都市部ほど平均点が高かった地域類型別に見た平均点の差も、この間に大幅に縮小した。これらの変化がすべて、教育条件の規格化・標準化がより一層進んだことの帰結であったと断定することはできないが、かつてトラウマと見なされていた、教育の地域間格差が大幅に是正されたことは認めてよいだろう。生活保護世帯率の負の影響が〇七年でも色濃く残るといった、貧しさの偏在が平均得点に及ぼす影響は残るものの、五〇年代に教育の標準化を進めようとした人々の悲願は、その因果関係の確定はともあれ、見事に達成されたのである。

このような学力面での「平等」の達成は、国際比較調査でもたびたび確認されるものであった。一九八〇年代初頭に、アメリカの社会学者が驚きをもって報告したように、日本の義務教育は、他の先進国に比べ平均点も高く、得点の散らばりも小さな、「卓越（excellence）

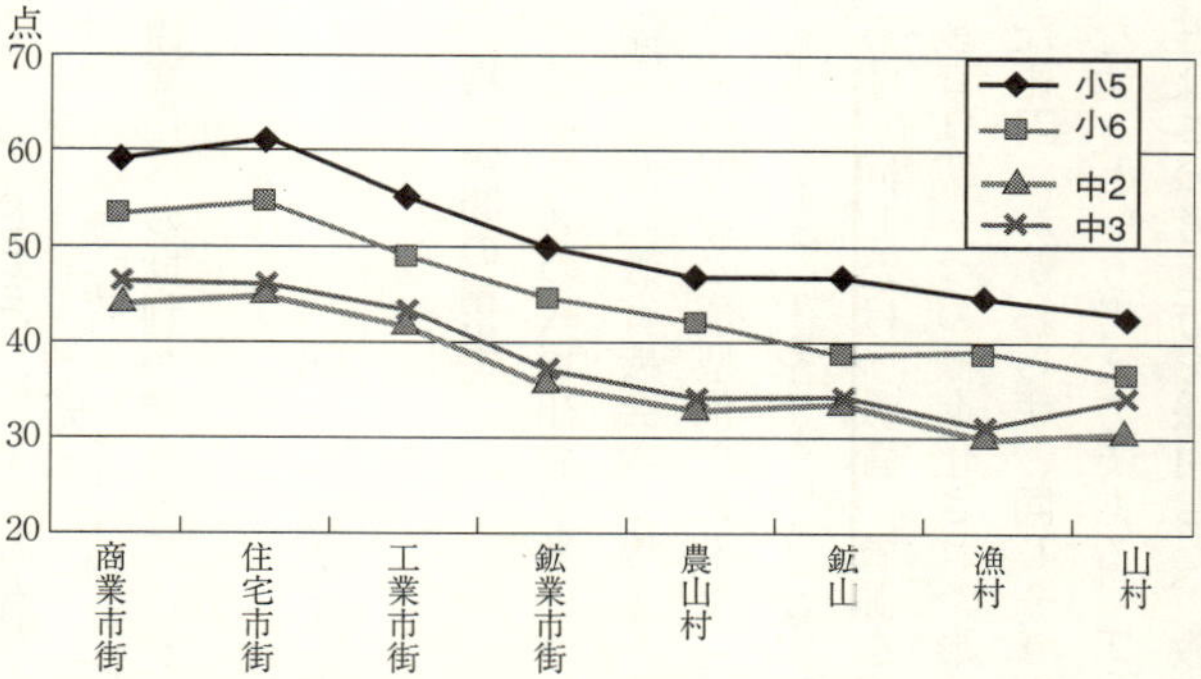

図5－2　地域類型別平均点（算数・数学）の比較（1962年）
元データは、文部省『昭和37年度全国小学校学力調査報告書』及び『同中学校学力調査報告書』。

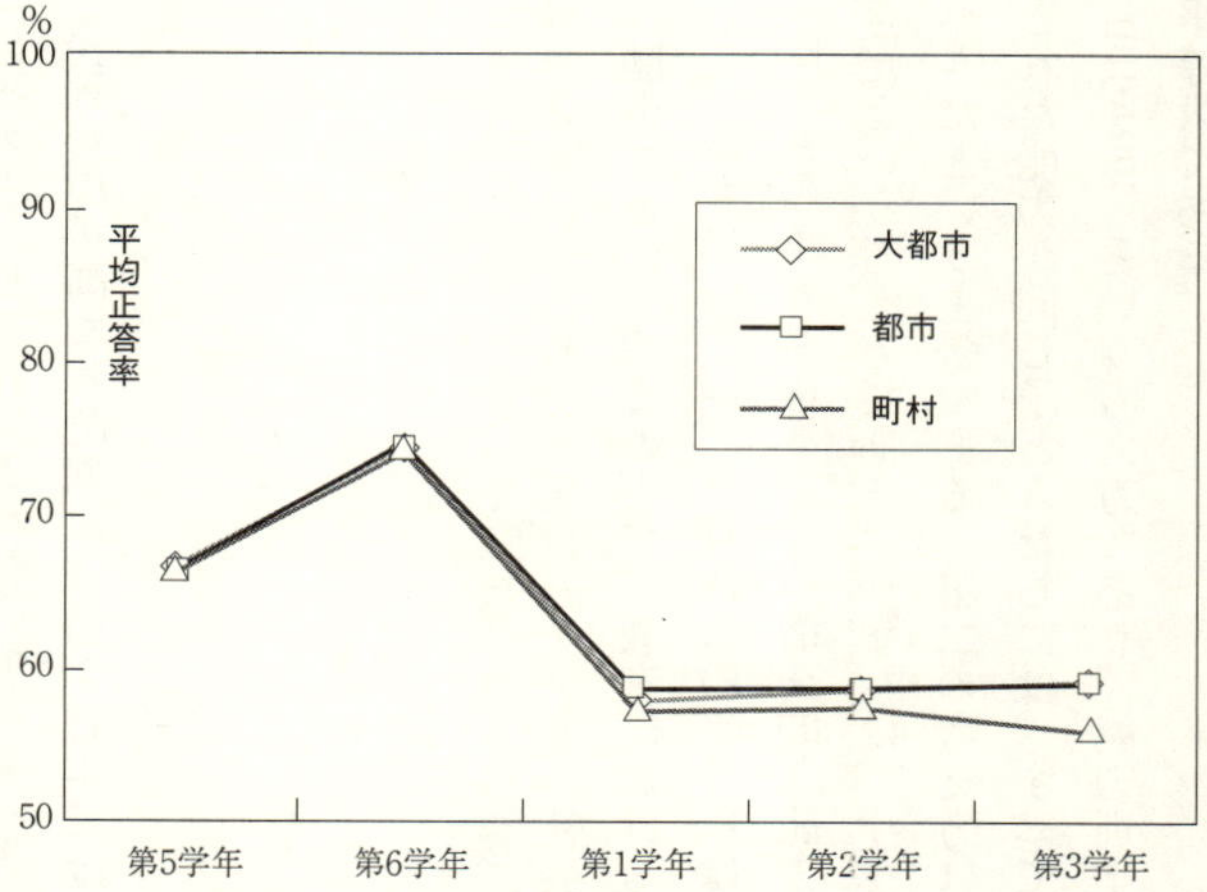

図5－3　算数・数学の平均正答率（2003年）
元データは、文部科学省『平成15年度教育課程実施状況調査分析結果』。
出典：図5－2、5－3とも、『日本の初等中等教育の状況』文部科学省初等中等教育局、2006年

と平等（equality）」を共に達成した優れたシステムとして称賛されたのである（カミングス一九八一）。ただし、皮肉にも、そのような称賛の声が高まる時期に、当の日本では、教育の標準化への批判が強まっていったのである。

3　面の平等とそのアンビバレンス

均一空間の創出

イギリスの教育社会学者ジュリア・イベッツは、一九七〇年発行のイギリス社会学雑誌に発表した「教育機会の平等――その概念の歴史」という論文の中で、教育における機会の平等主義理論の類型化を試みた（Evetts, 1970）。彼女によれば、教育機会の平等には三つの考え方（解釈）があるという。第一の考え方は、どの子どもにも、その潜在的な能力にかかわらず、同じだけの教育の資源を提供すべきだという考え方である。つまりは、すべての学校教育は、一つの標準化された形式をもつべきだという主張である。第二の考え方は、環境的な要因にかかわらず、同じやり方で測定された能力が同じ子どもたちには、すべて同じ扱いをするという考え方である。Equal but different という考え方であり、能力別学級編制などはこの考え方を採用した、教育機会の平等策である。

第三に、同じような教育を提供するというのではなく、不平等な環境によって教育的に不利益な子どもたちのために、積極的な差別を行なうという、環境の側に働きかける考え方である。その例として、イベッツはアメリカのヘッドスタートなどのプログラムやアファーマティブ・アクションをあげている（註4）。

日本のやり方は、イベッツの類型に従えば、第一のタイプの変形ということになるだろう。変形と呼んだのは、そこでカバーされるべき「教育の資源」が徹底的に標準化され「規格化」されていたからである。舞台（学校の施設・設備）、台本（教科書と学習指導要領）、教育実践に必要不可欠と見なされた小道具（教材）はもとより、さらには役者（教員）までも広域での空間的な異動を通じて均質化させていく。しかも、結果的にではあるのだが、財政力の弱い、経済的に豊かではない地域に、より多くの教育資源が投入される仕組みがこれらの土台にあった。

ここには、均質的な空間と均質的な時間の創出を通じて、「平等」な資源配分の基盤とみなし、機会均等の概念を教育にあてはめる方式が見て取れる。「面の平等」と呼んだゆえんである。均質な時間と空間を用意し、そこで繰り広げられる教育・学習においても、等量・等質をめざす。こうして、「普遍性・広範性・一般性に裏付けられた均一空間」として、「近代社会に特有の一元的空間を想定」し（殿岡二〇〇四、一四四頁）、その徹底を図ってきたのが、戦後日本の教育の標準化であった。言い換えれば、教育の標準化の徹底とは、全国の公立小中学校に、「普遍性・広範性・一般性に裏付けられた均一空間」をつくり出すことにほかならなかった。しかも、これまでの分析で明らかにしたように、均一空間の創出は、国家が一網打尽に行なおうとしてできたのではなく、それぞれの地域がそれぞれの範域内で均一空間をつくり出そうとする「面の平等」の重なり合いの結果としてできあがった。国による強力な関与や条件整備はあったものの、地方分権を建前とする義務教育において、全国的に均質空間をつくり出すためには、地方からの招き入れという契機がなければならなかったのである。つまり、「普遍性・広範性・一般性」を求め、空間を全国平均と比べて均質化しようとする強い意志と力の働きが地方の側になければ、標準化の徹底はここまで進まなかったと考えられるのである。もう一つ付言しておけば、国家の政策が巧妙だったのは、さまざまな教育の標準化を進める上で、国による補助が出る場合にも、最初から全額補助にするのではなく、地方の負担を一定程度求めることで、地方のイニシアティブを喚起する仕組みを併せ持っていたことにある。国による誘導と、地方からの応答とがセットになって、標準化が進む仕組みをつくり出したのである。

こうして、国が上意下達で強権的に行なう以上に、地域の隅々にまで至る、丹念で丁寧な、教育の標準化が進むこととなった。それは、「上から」つくられた標準化された準拠枠を参照に、共通性を求める動きを「下から」生み出していった。

標準化のパラドクス

ところが、このように丹念で丁寧な標準化が進んでいくことは、共通化と差異化のアンビバレンスとでも呼ぶべき状態を招き入れることとなった。

教育の標準化を求めることは、一方で、共通化を推し進めることにつながる。たとえば、学習指導要領の基準性を強め、その内容をより精緻《せいち》なものとし、さらにはその達成状況を共通問題による全国学力テストによって評価する。こうした標準化は、一方で、格差是正の対象となっている問題に照らして参照されるカテゴリー間（たとえば、僻地とその他の地域）の差異を見えやすくすることで、不平等の程度を明らかにし、それへの対処を可能にする。差異や偏差を生み出している原因を特定するために必要な共通の尺度の適用であり、そこで原因と見なされた「教育条件」の差異を取り除くために、さらなる標準化が進む（たとえば、教材の標準基準の設定や、教員の広域人事など）。こうして、共通化が作動することは、差異を際立たせていくことに結びつかざるを得ない。差異を明らかにすることが、つぎなる均質化につながるという方法で、標準化のロジックが組み立てられているからである。

問題は、このようにして可視化される差異のうち、何を取り出し、何を際立たせるか、逆に言えば、どのような差異は際立たせないようにしておくか、という判断がここで必要になることである。

学習の個人化を前提に、個人の能力の差異を初期条件として組み入れて、「教育機会の平等」を考える場合（先のイベッツの類型で言えば、第二の機会の平等観にあたる）、共通化を求めた上で生じる個人間の差異は、まさに是正されるべき対象であり、それを際立たせることは、つぎなる平等化に向かう上で不可欠のステップとなる。それぞれの個人の能力や達成の差異に応じて必要とされる学習の個別化を進めていくことが、教育機会の平等につながると考えられているからである。その進化形であるアファーマティブ・アクションなどの方法を取り入れた第三の機会の平等観においても、個別化による対応という点では同様である（註5）。いずれも、教育資源の配分の原理として、パーヘッドの世界を基盤においた教育面での対応である。こうした社会では、教育の標準化を進める過程で生じる個人間の差異は、学習の個人化という方法によって回収される。しかも、個人化された学習を支えるための教育資源の配分方法（生徒時間：pupil hour＝学習者が一人増えればそれだけ教育労働の負担が増えるという考え方）が、その土台にあるのだ。

ところが、戦後日本においては、共通化を求める過程であらわになる差異のうちで、個人間の差異を際立たせることは忌避された。とりわけ義務教育段階では、個人の能力や成績の差異を露骨に表面化させることは嫌われた。前著『大衆教育社会のゆくえ』で明らかにした、「能力主義的差別教育」批判に共鳴する考え方である。

能力主義的差別と格差縮小への寄与

競争的な教育への批判も、画一教育への批判も、ここでいう共通化と差異化のアンビバレンスをめぐって生じた批判である。一元的な能力や学力の基準をつくり出し、それに当てはめて個人を評価し、位置づける。そうした事態を、日本の教育の問題と見なし批判する言説は、『大衆教育社会のゆくえ』で詳述したとおり、日本の教育批判の定番であったと言える。それは何も、日教組などの特定の教員集団だけに共有されていたわけではない。二〇〇〇年代に入るまで義務教育段階では、習熟度別学級のような取り組みが広く受け入れられていなかったことからもわかるように、個人間の差異は、できるだけ不可視化されるべし、とされたのである。それというのも、日本的な能力主義的差別観にしたがえば、共通化の結果表面化する差異は、容易に「差別」へと転換すると見なされていたからである。『大衆教育社会のゆくえ』でも引用した、日教組教育制度検討委員会の有名なフレーズをここでも再び引いておく。

とに《ママ》

「子どもを、『成績』に応じて分類し、その『能力』別に上下の序列をつけ、進学する子としなくてよい子に分け、また普通高校と職業高校に仕分けし、男女を差別し、さらに、一流校から何流校にまで、格差をつけて、選別していく。そこから子どもたちのあいだに、はげしくつめたい競争主義が生まれる。こうして、わが国の学歴社会的傾向は強まり、学校は学歴競争の修羅場となる。こうした大勢《ママ》を、教育における『能力主義』と呼ぶことができる」(教育制度検討委員会一九七四、五四頁)

「能力主義こそは、今日の教育荒廃の元凶、教育諸悪の根源というべきである」(教育制度検討委員会一九七四、八二頁)

このような批判が、共通化と差異化のアンビバレンスをつねに問題化する文脈を用意してきたのである。

「能力主義的差別」に転化しかねない、こうした個人の差異の扱い方と比べると、僻地にしても、同和地区にしても、産業転換地域にしても、地域といった一定の空間的範域を単位に生じる差異については、日本の教育行政は、それを積極的に取り上げ、その是正に努めてきた。共通の尺度をあてはめることによって明らかとなる「劣悪な教育条件」を取り出す場合、あくまでも是正の対象となるのは、個人を取り巻く「面」としての教育条件であり、個人そのものへの介入ではなかった。言い換えれば、「面の平等」とは、個人の差異を際立たせないようにしつつ、あるいは、差異が表面化した場合でも極力それを前提とした「異なる処遇」を避けつつ、間接的に、「劣悪な教育条件」のもとにある不利な（disadvantaged）個人を救済するという手段であった。もちろん、就学援助の制度化や奨学金制度などを通じて、個人への直接の教育支援を行なう施策もとられてきたのだが、こと教育機会の平等という文脈で見る場合、主流の政策は、これまで見てきた面の平等にあったといってよい。

教育の標準化がもたらす、共通化と差異化のアンビバレンスは、こうして面の平等によって問題を潜在化させてきたのである。しかも、面の平等が称揚され、広く受け入れられたのは、それが個の差異を際立たせず、差異的な処遇もせずに、結果的には、個人間の平等にもある程度寄与してきたからにほかならない。『大衆教育社会のゆくえ』では、「能力主義的差別教育」批判に代表される、個人の能力の差異を際立たせない戦後日本の教育が、学力の階層差をはじめとする不平等を隠蔽し、教育の不平等を不問に付してきたことを解き明かした。しかし、本書での分析を経た今、戦後日本の教育は、面の平等化を通じて個人間の差異を際立たせないまま、一定の教育の平等を実現した可能性があった、という新しい評価をここでは提出したい。面の不平等の是正を通じて、間接的に個人間の差異を縮小することに一定程度の寄与を果たしたといえるのである。

しかし、だからといって、日本の教育における不平等問題が解決したわけではなかった。その点では、『大衆教育社会のゆくえ』において、生徒の出身階層と学業成績との関係の変化をたどった分析が間違っていたわけではない。テストで示される学力や学業成績として表れる、教育の結果としての不平等は、一定程度縮小されたとはいえ、依然として残っていたからである。

舞台（学校の施設・設備）、台本（教科書と学習指導要領）、小道具（教材）から、さらには役者（教員）まで標準を定め、これらの教育資源を均質化しようとする。それが、面の平等を通じた、教育機会の平等の戦後日本的な表現であった。このことを別の視点から見ると、同一の教育条件・学習環境を提供することで、教育を通じた業績・達成（achievement/performance）の条件が均等であるという見なしを成立させた、ということでもある。財政を通じた資源の再配分によって、均質性が担保されていることが、金銭タームで示される。しかも、そこで同質化の対象となる教育条件の細目が増えていく。つまりは、より具体的な姿をまとって、目に見える形で教育条件の共通化が図られるようになっていく。このように具体的な形で進む教育の標準化は、結果的に、だれもが同じスタートラインに立っているという印象を与え、学校を通じた業績主義的選抜の公平さを印象づけた。義務教育段階では、機会の均等が保障されているという見なしを強化する役割を果たしたということである。全国からくまなく人材を大衆的な規模でメリトクラシー（業績主義的な選抜システム）へと誘い、しかも、その結果を、正当なものとして受け入れる基盤が、面の平等を通じて提供された。実質において、教育格差をある程度まで是正したにとどまらず、階層間格差のような教育の不平等が先鋭な問題とならなかったのは、メリトクラシーが正当なものとして作動するための条件を、面の平等が用意したからである。

このように見ると、戦後日本の教育が抱え込んだ共通化と差異化のアンビバレンスは、教育条件の均等化を基軸に形成されたものであり、そのもっとも基底にある価値として、「機会の平等」を求めていた。つまり、差異化を含み込んでの面の平等化なのである。これが緊張関係を持った複数の価値を抱えた状態（アンビバレンス）となるのは、このシステムが、自ら差異（あるいは不平等）を生成し、それを可視化しつつ、自らその縮小と不可視化を試みるというアクロバットを演じることが期待されていたからである。だから、「結果の平等」の仕組み（全員が百点！）などでは断じてありえなかった。そして、面の平等化とは、このアクロバティックな振る舞いを目立たないようにし、安定化させるための巧妙な方策であった。しかも、実際に、ある程度までは、差異の縮小に貢献した可能性もあったのだから。

「学級」——面の平等のテクノロジー

では、戦後の日本では、なぜ、個人の差異を際立たせることが忌避され、教育の標準化がもたらす共通化と差異化のアンビバレンスに対し、面の平等という解決策がとられることとなったのか。この問いは、面の平等という解決策の、そのもっとも土台にあたる標準法の世界を理解する上で重要な切り口を用意してくれる。そして、この問題を解く手がかりは、面の平等の最小単位ともいえる「学級」という集団にある。

すでに第三章の分析が明らかにしたように、標準法の世界の設計者たちは、そもそもはアメリカ流の生徒時間の考え方やパーヘッドの考え方を基盤に、戦後の教育財政の仕組みを整備したいと願っていた。しかし、当時の厳しい財政事情がそれを許さなかった。そこでやむなく、「生徒数、学級数、学校数の三本立て」で教育財政の単位費用の考え方がとられることになった。しかし、それは、やむを得ざる選択というだけにとどまったのだろうか。

標準法の設計者、佐藤三樹太郎が興味深い言葉を残している。第三章でも引用したが、アメリカ流の生徒時間の考え方と対照して、日本のやり方を解説した箇所の言葉である。そこで佐藤は、「わが国のように、学級を固定化し、しかも、同学年編制でなければならないという考え方にたつ限り、このような教員算定方式はなじまないというのが実感であろう」(佐藤一九六五＝二〇〇二、七七頁)という。内藤が財政上の制約を理由としていたのに比べ、ここには、学級という集団の単位から、財政の単位費用を考えざるを得なかった、教育学的な理由がにじみ出ているように思えてならない。「同学年編制」で「学級を固定化」することが、戦前以来の日本の教育実践に根づいていた、だから、欧米流のやり方は「なじまない」という「実感」が表明されたのである。

それでは反対に、「同学年編制」で「学級を固定化」する方法が、日本のやり方として「なじむ」と思われたのはなぜだろうか。ここでは、新たに日本における学級の歴史を展開する余裕はない。だが、幸いなことに、私たちは、柳治男のすぐれた先行研究を得ている。柳の『〈学級〉の歴史学』によれば、すでに大正期に日本の学校では、学級はたんなる学習集団にとどまらない多様な機能を担う「学級文化活動」の場、あるいは、生活共同体へと変化を遂げていたというのである。

柳は、「一九三〇年代に、生活綴《つづ》り方《かた》教師を中心に、『学級文集』『学級新聞』『壁新聞』『学級通信』の編集、『学級誕生会』の開催、『学級ポスト』の設置、『学級歌』の創造及び『学級図書館』『学級博物館』の設置等に代表される学級文化活動が展開された。これらの活動によって、文化的に低い地域で育った子どもたちの教室に『文化財』が導入され、さらに、子どもたちじしんによって、子どもたち独自の学級文化が創造された」という志村廣明の研究を引いた上で、戦前期の日本の学級の特徴についてつぎのようにいう。

村落共同体が、生産機能、生活機能、政治機能、祭祀《さいし》機能をすべて包含する重層的な存在であると同様、「学級」もさまざまな活動が重層的に累積した集団となった。／こうして、学校での子どもの場所の異動がはるかに少ない「学級」が作り上げられた。異動が頻繁に行われる西洋の学校とは異なって、教室が子どもの定住の場となっているわが国の学校では、教室は教育と学習の空間であるばかりでなく、生活の空間にもなるのである、教室はその以後、学習機能、給食機能、娯楽、遊技機能、自治機能、作業機能など、さまざまな活動が累積する場となる。（柳二〇〇五、一四九〜一五〇頁。一部引用文献の情報を削除）

その後、「学級王国」という言葉が登場するほどまでに、日本の教育において学級という集団単位は、そこでの教育実践・教育活動と密接に結びつく形で、「自明視された空間」として定着した。こうして機能的な学習集団にとどまらない、多様な役割を抱え込んだ生活共同体として、学級がすでに日本の教育になじんでいたからこそ、標準法の設計者は、それを単位費用の積算根拠として受け入れたのである。

それゆえ、第三章でも述べたように、教育資源の配分原理を構成する単位費用の設置は、その背後に、そうした資源配分を通じて行なわれる教育実践のロジックとの間に親和性を持ったのである。個々の子どもの学習の個別化に向かうよりも、学級という共同体を前提に行なわれる教育。教師と児童生徒集団とのやりとりを介して行なわれる「一斉授業」の技術も、班活動のような小集団を利用した生活指導の普及も、このような学級を単位に発達を遂げた教育実践上のテクノロジーであった。そのつど教室に集まった複数の生徒たちを、そのときどきの課題にあわせて機能的な学習集団と見なす見方（パーヘッドの世界）とは異なる、まさに、共同体として「学級を固定化し、しかも、同学年編制」とすることで行使される教育実践のロジックとなじみやすい資源配分の単位が選び出されたのである。それゆえに、標準法の世界を基盤に、その後進む教育の標準化のほとんどが、学級を最小単位としていた。PT比の縮小＝学級定数の改善が、教員定数の増員と結びつく方法で考えられたのも、教材基準の基礎単位が学級であったのも、テストで「平均点」を上げるために努力する集団の単位が学級であったことも、その典型である。面の平等化を推し進める最小単位が、学級だったのである。

そうだとすれば、学級という生活共同体の中で、標準化が生み出す共通化と差異化のアンビバレンスがいかなる形で表面化するか、それをいかに解決するかも、学級集団のロジックから導き出せるはずである。

一定数（それも初期の頃は五〇人を超える）の成員からなる集団の秩序をいかに維持し、教育を行なうか。いや、学級集団としての秩序をつくり出すこと自体も、生活指導の目標とされる中で、共通化と差異化はアンビバレンスとして立ち現れる。それというのも、共同性の価値を奉じる集団の中にあっては、個別化の原理を強く持つ集合体に比べ、共通の尺度に基づいて表出する差異が差別へと転化しやすい。個別化の原理に基づく機能的な学習集団（パーヘッドの世界）に比べ、生活共同体としての学級には、生活者としての多様な局面を持つ関係がその紐帯《ちゅうたい》を維持する上で重視されるからである。集団としての凝集性も高くなるし、それを高めること自体が教育の目標としても掲げられる（「みんな仲良く！」）。しかも、このような集団内で可視化された個人の差異は、集団秩序への挑戦となりやすい。村落共同体と学級とのアナロジーを想定すれば、こうしたメカニズムが働くことが予想できる。

ただし、ここであまり村落共同体とのアナロジーを強調しすぎると、日本文化論的な説明に陥ってしまう。むしろ私たちが目を向けるべきは、すでに第二章や第四章で明らかにした、戦前期の日本の教育の貧弱なほどのインフラストラクチャーである。第四章の図4-7（一六五頁）で示したように、一九三〇年代の日本の小学校の教育条件は現在からは想像もできないほどの劣悪な条件の下にあった。教員一人あたりの児童数の平均が八〇名近い県もあった。全国平均で見ても、六三・五人であり、一九六〇年代初頭の三〇人前後と比べ二倍に達する。一学級あたりの児童数も、一九二八（昭和三）年のデータで見ると、全都道府県の平均が四九・六人、五〇人を超える県が七つもあった。教育財政と教育条件の間に逆進的な関係があったこともすでに見たとおりである。

しかも、遅れて近代化を開始した戦前期の日本にとって、学校はまさに「近代化の橋頭《きょうとう》堡《ほ》」であった。教科以外の知識を含め、さまざまな知識や情報の伝達が学校を通じて行なわれた。それだけ多様な機能を抱えざるを得なかったということである。

求められる機能は多様でも、それを支えるインフラは貧弱だった。そのような条件のもとで、全国の平均で見ても五〇人前後の子どもが一つの学級にひしめいていたのである。教育が成立するための秩序をつくり出すだけでも、容易でなかったことは想像するに難くない。集団としての学級を教育に利用するためにさまざまな技術が開発された背景には、こうしたあまりに貧弱な学校の歴史があったと考えられるのである。もちろんその際に、村落共同体での集団秩序維持の経験が持ち込まれた可能性までを否定する必要はない。だが、「学級」を基盤とした教育テクノロジーが、日本文化に根ざしたものと言うより、劣悪な条件のもとで学校的な秩序を維持するために開発されたもの——遅れて始まった「近代」に根ざした教育の伝統だったと見たほうがよい、と考えるのである。

共同体の秩序

そうだとすれば、集団秩序のゆらぎは、それ自体が教育の失敗を意味する（「学級崩壊」！）。それゆえ、そうした問題を回避するために編み出されたのが、一斉授業でのさまざまな工夫であり、集団主義教育の技法だったのである。とりわけ、学力面での個人間の差異が際立たないように、子ども一人一人に活躍の場を与えるとか、授業中に子どもを指名する際の気配りとか、応答があった場合の教師の対応の仕方とか、学習面での個人間の差異を中和化するための技法が広まっていった。生活共同体としての学級を教育に活用するためのテクノロジーである。それは、共通化（「みんな同じに」）は表面に出しても、その過程で生じてしまう差別化（「目立つ個人」）は極力表面化させない教育をめざすものであった。とくに学習面での差異化は、共同体秩序を揺るがすものとして忌避された。だから個人の差異を前提にした「差異的な処遇」の導入は長らく見送られたのである。しかも、こうした実践のロジックは、学級集団を疑似的な共同体と見なし、生活指導の母体として利用しようとした進歩派教育学の理念とも協調的な関係を持っていたのである（原二〇〇七）。

このようなロジック（個人間の差異の消去と同調圧力）をもつ学級という集団を単位費用としたことが、その他の面での教育の標準化と接合すればどうなるか。教育の共通化・画一化に拍車がかかるのは火を見るより明らかだ。「みんな同じに（＝処遇の均質化）」が、そこでの望ましい解答だからである。たとえ教育の標準が設置されても、個人の差異を前提としつつ、その上で平等化を図ろうとする「（複数の異なる）個の間の平等」原則の下では、その標準を参照しつつも、異なる対応や処遇をすること（「差異的な処遇」）が、教育機会の平等と見なされる。「みんな同じに（＝処遇の均質化）」の方向にはなびかない。それとは対照的である。

それに対し、個人の差異を打ち消すことで、教育機会の平等を達成しようとする面の平等化は、異なる処遇を「差別」として見なす視線をつくり出した。差異的な処遇を嫌い、「みんな同じく」を原則とする教育が、差別を忌避する教育と見なされたのである（『大衆教育社会のゆくえ』第五章参照）。この点においては、勤評闘争や学テ闘争といった激しい対立を示していた文部省と日教組との間に、大きな違いはなかった。その結果、教育における標準が設定されると、その基準に合わせた教育条件の均質化に加え、処遇の均質化までを含み込むようになる。個人間の差異を取り出すことをできるだけ避けようとする、生活共同体としての学級のロジックが作動したからである。教育の画一化を批判する言説が出ていたにもかかわらず、それゆえ、教育の画一化は一層進むこととなった。皮肉な結果である。

このように見ると、日本における教育の画一化は、文部省による強権的な権力作用だけでできあがったわけではないことがわかる。標準化という枠組み設定による上からの画一化だけでなく、それに呼応し画一化を招き入れる下からのロジックが働いていた。

だが、皮肉なことに、個人の差異を際立たせまいとしても、差異は消し去れなかった。義務教育の終わりに待ち受ける高校入試が、それを阻むのである。周知のとおり日本の高校は、明確な階層性をもっている。学区内での名声や評判の差異であれ、卒業後の進路実績の差異であれ、それらはそのまま、入学時に要請される学力の差異と対応している。

いや、別の見方をすれば、義務教育段階で差異化を目立たなくさせることが、共通化と差異化のアンビバレンスの解決を、高校段階に先送りしてきたということもできる。義務教育では共通性を重視してきた分、高校段階では一挙に差異化に向かう。こうして日本の教育は、システム全体として問題解決を図ってきた。威信と学力に基づく高校の階層性は、その帰結だという見方もできるのである。

しかも、一九五五年には五一・五%、六〇年には五七・七%にすぎなかった高校進学率は、六五年には七〇・七%へと急上昇し、七〇年には八二・一%に達した。そして、七四年にはついに九〇%を超えるまでに至った。教育の標準化が急速に進んだ一九六〇年代は、こうした高校の拡張期と重なっていた。高校に進学するか否かではなく、学力を基準にどのランク・タイプの高校に進学するかに多数の中学校卒業者が関わるようになる時代――まさに大衆教育社会が形成されていく時代だったのである。

それがどのようなメカニズムをはらんでいたのかについては、すでに『大衆教育社会のゆくえ』の第五章で詳しい分析を行なったので繰り返さない。だが、ここでの議論との関連で強調しておくべきは、個人間の差異を際立たせまいとする教育のロジックが、結果的には、処遇の均質化につながり、そのことが、学力テストという一つの尺度で選抜を行なう一元的な能力主義をつくり出したという、前著で明らかにしたパラドクスである。しかも、面の平等化の進展は、そこに「劣悪な教育条件」として名指されたさまざまな障碍を取り除くことに寄与した。そうして、学力を基準とした高校入試という「競争」に参加できる人びとの裾《すそ》野《の》を広げていった。面の平等化が、「メリトクラシーの大衆化」を推し進めたのである。さらに皮肉なことには、その結果、一定程度の教育格差の実質的な縮小という成果を挙げたとはいえ、それでもなお残る階層間の教育の不平等には目が向かなくなった（註6）。面の平等の対象としては取り出されない、教育の不平等への視線を弱めつつ、標準化がもたらす共通化と差異化のアンビバレンスは日本の教育にこうした痕跡《こんせき》を残したのである。

もう一つ、だめ押しのような皮肉な結果にもふれておこう。こうした標準化の試みは、

「機会の平等」をめざす政策であった。本書が明らかにしてきたのは、まさにこの点である。しかし、処遇の均質化にまでそれが及び、画一的な教育をもたらしたことで、それは「(行き過ぎた) 結果の平等」と誤読された。それゆえ、「結果の平等」を是正し、「機会の平等」を実現するためには、学校選択など、市場原理に任せた教育制度に転換しなければならないといった主張を生み出すに至った。その実、言葉の正しい意味での教育の結果の不平等は不問にされたまま、戦後日本の教育が機会の平等として推し進めてきた制度を大きく変えることが、「機会の平等」の実現だと誤解されたのである (註7)。

大衆教育社会の基底

戦後日本的に標準化された教育の〈システム〉は、戦後日本的に解釈された「教育機会の均等」という理念と、一九五〇〜六〇年代に成立した教育資源の配分方法と、戦前以来の日本的な教育実践のロジックとの間で、三者相互間の協調的な関係を保ちながら、教育の基底をなしてきた。そして、その作動が、「面の平等」を実現しようとする過程だった。

面の平等は、教育条件の均質化として実現していく。それが、学力などの教育成果の点で、いつごろ、どれだけの平等化を推し進めたかについては、本書では十分な分析ができなかった。二〇〇七年の都道府県別の学力調査の再分析が示したように、六〇年代には存在していた格差が縮小したことはたしかである。出身階層などの個人の社会的カテゴリーに関わる点で学力の格差がどれだけ縮小したかを示す証拠はない。だが、面の平等化が、少なくとも義務教育段階においては、人びとに同じ教育を受けているという信憑《しんぴょう》を与えたであろうことは、十分類推できる。実際の格差縮小についてはともかく、「同じスタートライン」に立っているという見なしを全国に広げる上で、面の平等化が寄与したことは間違いないだろう。依然として地域の貧富の格差と教育費とが連動しているアメリカのような社会との違いである。

その意味で、実際に教育の格差（とりわけ階層差）がどれだけ是正されたかはともかく、社会階層による分断を伴うことなく、義務教育以後の教育を求める教育アスピレーション（進学意欲・熱意）が高まっていった。農家の子弟の高校進学率が上昇に転じる起点となるのが一九六三年で、その後六〇年代を通じて急速な勢いで全国平均に追いついていくのだが（苅谷二〇〇一）、奇《く》しくもその時期は、教育の標準化の制度化が進み、面の平等が作動し始める時期と重なっていた。また、高校に進学できるだけの学力はあるのに、家計を含め家庭の事情で高校に進学できなかった人びとにとっても、「学力はあるのに」という悔しさの感情は、教育の標準化が準備したものといえるだろう。それがつぎの世代の学歴上昇につながるのである。

しかも、面の平等は、とりわけ能力や学力の面で、個人間の差異を際立たせないことにも配慮する仕組みであった。面の平等の最小単位であった学級においても、学力や能力による分断をむやみにつくり出さないことに心が配られた。それだけに、トラッキングやストリーミングと呼ばれる能力別の学習集団や学級が導入された六〇～七〇年代のアメリカやイギリスのように、学校段階の早い時期からアスピレーションを冷却させてしまうこともなかった(Kariya and Rosenbaum, 1987)。面の平等化は、より多くの人びとを巻き込み、さらなる教育を求める基盤を準備したのである。前著に引きつけて言えば、こうして大衆教育社会の礎《いしずえ》がつくられることとなった。

本書が明らかにした重要な点は、このように準備された大衆教育社会の基盤が、教育資源の配分の独特の仕組みによって支えられていたことである。しかも、その仕組みは、学級という教育実践のロジックと親和性を持っていた。資源配分の仕組み（インフラ＝基盤）と、それをもとに教授学習活動を作動させるノウハウ（ＯＳ）との間に、共鳴しあう共通のロジックが埋め込まれていたということである。それは、パーヘッドの世界が前提とする、学習の個人化となじみやすいロジックではなかった。だからこそ、日本で学習の個人化への対応が求められるようになっても、柔軟にそれに対応する教育資源の配分構造をつくり出すことがむずかしかったのである。

個に応じた教育が求められる中で、少人数学級の実現がむずかしく、学級定数という考え方を維持したまま、いくつかの科目については「少人数授業」という形で教員の加配（それも場合によっては非常勤で！）を行なう予算措置のような対応策がとられたのは偶然ではない。インフラ＋OSのセットの原理となっているロジックが、個人化の原理から出発していないからである。

バウチャー制度のようなことが話題となったときも、それが前提とする個人化のロジックと、日本の教育〈システム〉のロジックとのズレにはお構いなしに議論が行なわれた。実現には至らなかったが、もし義務教育段階での導入にまで真剣な議論が行なわれていたとすれば、資源配分の根幹のルールまでを変えなければならないほどの大改革であったはずだ（苅谷二〇〇六）。

人、モノ、カネ、時間、そして情報。教育を支える資源がなければ教育は行なええない。あまりにあたりまえのことだが、私たちはこれらの資源がどのようなロジックによって作動する仕組みを通じて配分されているかを知らない。知らなくても、日々教育は行なわれる。そこで行なわれる教育が、そのロジックとどのような関係にあるかも知らずに、そこに目を向けることもなく。こうして〈システム〉は、あたかも自然の振る舞いであるかのように――少なくとも近年まで――スムーズに作動し続けたのである（註8）。

註

1、これらの学力調査と二〇〇〇年代のそれとの政策的意義の違いについては、苅谷（二〇〇九）を参照。

2、相澤真一（二〇〇五）によれば、一九五八年の学習指導要領の改訂後、日教組の全国教研集会では、改訂によって高度化した教育内容をいかに教えるかについて、指導方法の「自主編成」の動きがあったという。「自主編成」ということから、改訂への異論も含まれるのだが、実際に行なわれた議論の内容は、授業実践を高めるためのものであった。むしろ、できるだけ多くの子どもたちが授業を理解できるようにする方向で、教育実践の改善が行なわれたと言えるのである。

3、時事通信社『内外教育版』（一九六三年、一四二一号、及び一九六三年、一五一三号）に掲載されたデータである。

4、貧困層やマイノリティ・グループの子どもたちの学校での学業面での不利な条件を緩和するために、就学前に健康面や栄養面、教育面での支援を行なうプログラムである。リンドン・ジョンソン政権の「貧困との戦い」キャンペーンの一環として行なわれた。このようなヘッドスタートを含み、教育機会の平等化についての政府による積極的な介入を伴う措置をアファーマティブ・アクションと呼ぶ。

5、さらにいえば、共通の尺度を用いない、多元主義的な能力観に基づく教育機会の平等観にしたがえば、そもそも共通の尺度で差異を見るという事態が想定されないのであるから、共通化と差異化のアンビバレンスは生じない。

6、一九九〇年代後半という、すでに教育の階層化が進み始めていた時期まで、教育改革の議論はそれを見逃してきた。ゆとり教育をめざした教育改革の目玉と言われた一九九八年の学習指導要領の改訂時の議論が、こうした視点をまったく持っていなかったことは、いわゆる「格差社会論」がマスコミを賑わすまで、教育の不平等問題が隠蔽され続けたことの証左である。九八年改訂時の教育課程審議会や中央教育審議会での議論の分析については、拙著『教育改革の幻想』（二〇〇二）に詳しい。

7、これに関連した議論については、拙著『階層化日本と教育危機』（二〇〇一）第六章を参照。

8、ここで「少なくとも近年まで」と書いたのは、つぎのように考えるからである。第一に、二〇〇四年に始まった「総額裁量制」は、標準法の世界を変える可能性を持っている。単位費用として計算された後、総額として配分された教育の人件費（義務教育費国庫負担）に対して、その使い道の裁量権を広げたからである。第二に、それより重要な変化が進行している。少子化のために、単位となる「面」が小さくなりすぎ、少人数で単学級だけの学校が増えすぎたのである。その分、コストもかかり、制度としての柔軟性にも欠けるようになってきている。「知られざる革命」が戦後の教育に恩恵を与えたことは間違いないのだが、そろそろ明確な意志を持って、その改革に取り組む時期にきている。

エピローグ　屈折する視線——個人と個性の錯視

批判対象としてのわかりやすさ

標準法の世界を資源配分の基盤として進展した教育の標準化は、ある意味、戦後の教育に向けられたさまざまな批判のベクトルが収斂する地点にあった。教育の国家統制＝文部省支配＝中央集権、教育の画一性、一元的な能力主義＝点数主義＝テスト体制、詰め込み教育、個性を尊重しない教育等々、これら私たちになじみある教育批判の矛先《ほこさき》をのばしていくと、その行き先のどこかで、これまで述べてきた戦後日本的な教育の標準化と結びつく。それだけ文字どおり、戦後日本の教育の基底をなしてきたということだろう。

教育の標準化は教育の画一化という側面を併せ持つ。しかし、それが画一化へと向かう力は、標準化という手法だけに発するのではない。学習の個人化に向かうベクトルを欠いた「学級」を基盤とした教育実践のロジックや、それを支える標準法の世界のような教育資源の配分構造とセットになったときに、教育の標準化は、やすやすと画一化へと向かうのであった。一元的な能力主義の成立も同様である。教育の標準化や「学テ体制」だけで、一元的な能力主義が生まれたわけではない。

しかし、その基底をなす仕組みの構成要素は、あまりに自明のこととして疑いの対象となることはなかった。その全体像を深く掘り下げて描き出そうとする試みも十分には行なわれなかった。その結果、戦後の教育に向けられたさまざまな批判は、この基底の部分にまで到達することなく、それゆえに、決定的な批判たりえなかったし、中途半端な批判の中には、むしろ誤解とさえ思えるものもあった。

しかも、多くの批判は、この〈システム〉を招き入れる下からの力が作動していたことを往々にして忘れがちであった。文部省＝国家の統制によって、上からの力だけでこの〈システム〉がつくり出されたわけではない。それを歓迎し、招き入れる下からの働きが呼応したことで、教育の画一化も、一元的な能力主義もその成立を見たのである。「劣悪な教育条件」を取り除き、均質な教育環境をつくり出そうとした「面の平等」が、ポジティブなものとして評価され、その実現に向け、それぞれの地方で努力が払われた。こうした努力は、国による上意下達だけでできるものではなかった。

もちろん、それが同時に、教育の国家統制のもとで、画一教育や能力主義をもたらしたという面を併せ持っていたことは否定できない。その意味で、私たちが描き出した戦後日本の教育〈システム〉は、その表層の部分では、批判対象としてのわかりやすさを提供してきた。そして、表面上のわかりやすさゆえに、ちょうど水中に何か長いものを入れ上から見たときに、その切っ先が水面近くに見えてしまい、手を伸ばそうにもそこに届かないときのように、基底へと向かう批判の視線を屈折させ、単純な二項対立図式《ダイコトミー》に安んじる教育批判の様式を量産してきた（たとえば、中央集権か分権か、ゆとりか詰め込みか……）。再びロラン・バルトを引けば、「神話は虚偽でもなく告白でもない。それは屈折である」（バルト一九六七、一六八頁）。まさに私たちの視線を屈折させる神話作用が働いたのである。

単純な二項対立図式をもとに、いずれか一方の視点から他方を批判する。そうした私たちにおなじみの教育批判の様式は、そこで批判の対象となっている事象を取り除いたり、改善すれば、他方の肯定される望ましい事態が生じるといった見方をとりやすい。中央集権的な教育制度を廃止し、教育の分権化を行なえば、望ましい教育が実現するといった想定が暗黙のうちに入り込んでいるのである。とりわけ、義務教育定数標準法には手をつけず、義務教育費国庫負担制度を廃止して地方の財源として移譲すれば、教育の地方分権が実現し教育がよくなるといった主張は、標準法の世界をまったく理解しない錯誤の典型であった。

もう一つの例は、詰め込み教育をやめれば、個性を尊重する教育ができるといった画一教育批判であった。この問題は、資源配分の仕組みを支えるロジックと、教育実践を支えるロジックとが交錯するところで生じた現象である。それだけに、教育論議の全般に及ぶ重要な論点を提出してくれる。そこでこの問題を、もう少し詳しく検討していくことにしよう。

自立した個人はどうしたら生まれるか

「面の平等」原則は、比較的少ない資源で、個人間の差異を際立たせない形で、その実、その個人間の差異を間接的に縮小するための教育の標準化や教育資源の配分を行なうことを旨とした。それゆえ、「学級」のロジックと結びついて、標準化は共通化を強く押し出すこととなった。だからこそ、批判対象としてはきわめてわかりやすい構図を提供したのであり、実際に、「画一教育」として多くの批判を浴びてきたのである。そして、この画一教育と対置されたのが、多様性や個性を尊重する教育であった（註1）。

しかも、こうした教育批判は、自立した個人の形成を長年望んできた戦後知識人の願望とも共鳴するものであった。戦後日本において、教育界を含む「進歩的知識人」の多くは、日本社会の後進性や前近代性を憂い、西欧的な近代社会へと変わるためには、自立した個人の形成が必要だと考えた。それゆえ、教育の議論においても、自立した個人を育てることに価値が置かれた。それを反転したのが、教育への国家統制批判であり、画一教育批判であった。

自立した強い個人を育て上げるためには、もっと自由な教育が必要だと考えられたのである（註2）。

こうした近代主義的「個人化」への志向は、それに続く二つの意味での「個人化」と共振しあいながら、画一教育批判を形成していった。その後続の二つとは、個性化を求める「個人化」と、新自由主義的な「選択の主体」としての「個人化」である。あえて色分けすれば、最初の近代主義的個人化は政治的個人化、二番目は心理主義的個人化、三番目は経済的個人化ということができるかもしれない。個性化を求める個人化は、個性尊重の教育を目指した「ゆとり」教育が代表するものであり、新自由主義的な個人化は、教育バウチャーや学校選択制を提唱する教育改革につながるものであった。

こうした批判が教育の領域について起こりやすいのは、教育が意図的な「社会化＝大人のなり方」を行なう場・制度として見なされていたことと関係する。大人になるための過程に意図的な介入を行なうのが教育であり、そのために制度化された場として学校を見るからこそ、そこでの教育のあり方によって、個人の形成がどのように行なわれるかに関心が向けられるのである。とりわけ、戦後の進歩的知識人にとって、日本の「後進性」や「前近代性」（さらにいえば、「敗戦」と窮乏化）というトラウマがあった。それらを背景に置くことによって、「近代」をつくり上げることへの憧れが、個人主義の礼賛を後押しした。しかも、戦後初期段階における「個人主義」礼賛のプロトタイプには、政治的個人化も心理主義的個人化もない交ぜのまま混在していた。全体主義に代わって、「一人一人」を大切にすることが、社会編成の基本原理とされたのだから当然といえば当然である。そして、形を変え、自立した個人の育成という願望は、今日まで脈々と続き、つねに教育改革の議論にも入り込んできた。

ところが、近年の教育改革論議の不毛なところは、このように根本においては異なるはずの三つの個人化の要請を識別しないままに、反「個人主義的」と見なされた戦後教育〈システム〉の解体を急いだところにある。そして、それを招いたのが、見えやすい画一教育（あるいは詰め込み教育、受験競争……）という戦後教育〈システム〉の表現型であった。

本書が描き出してきた、戦後日本の教育と平等の〈システム〉は、その表現型において、二項対立型の批判の様式を招き入れやすい、批判対象としてのわかりやすさを提供してきた。それだけアンビバレントな仕組みだったと言えるのである。

第五章では、共通化と差異化のアンビバレンスについて論じた。それを再論すれば、戦後日本の教育が抱え込んだ共通化と差異化のアンビバレンスは、教育機会の均等を基軸に形成されたものであった。それが、言葉の正しい意味での結果の平等ではなかったことは、すでに第五章で述べたとおりである（全員が百点を取る仕組みではない！）。つまり、差異化が生じることは織り込みずみだったのである。だから、アクロバティックな振る舞いがそこには求められた。自ら差異(あるいは不平等)を生成し可視化しつつ、その縮小と不可視化を自らが試みるという所作である。そして、面の平等化とは、このアクロバティックな振る舞いを成功させるための日本的な解決策だった。それゆえに、共通化と差異化という緊張関係を持った複数の価値を抱えることとなったのである。しかも、実際に、ある程度までは、差異の縮小に貢献した可能性も否定できないのである。

しかし、このアンビバレンスは安易な二項対立に転化しやすかった。表面化しやすいところに目を向ければ、共通化が画一性、そしてそれをもたらす国家統制と映るのは容易なことだったからである。言い換えれば、差異化のあり様を不問に付したまま、共通化の部分を取り出して批判するのが、画一教育批判の常套句《じょうとうく》であった。だが、二項対立図式に基づく主張は、この〈システム〉が、矛盾と緊張に満ちた形で実現しようとしてきた教育機会均等の価値に抵触する可能性を十分に考慮することなく、自らが標榜する理想の実現に急ぎすぎた嫌いがある。

それゆえ、それが単純な二項対立図式に陥ってしまうと、共通性を取り除いたり、弛めた後に、どのような差異が表面化するかには目が向かなくなる。新自由主義的な個人化の議論では、それが不平等の拡大という差異化につながる可能性は表だって論じられることはなかった。分権化の議論では、地域間の教育条件の差異がどのようになるかにまで十分目が行き届かなかった。そして、個性化を目指す個人化の議論では、どんな差異も個性として見なすという見方が登場した。さらに言えば、いずれの議論でも、画一化を否定するあまり、教育の共通化までを解除してしまった後に、それが自動的に自立した個人を生み出す保障がないことについては議論が及ばなかった。一元的な能力主義への批判の場合は、共通化と差異化のアンビバレンスが生み出した結果を批判対象としているだけに少しばかり複雑だが、この場合も、全員が百点を取れるといった「結果の平等」を標榜することで、面の平等が機会の平等化であったことと抵触したし、そもそも実現不可能なゴールを設定した。全員が百点！の先に、個人の自立があるかどうかもわからないままだった。

さらに議論を展開すれば、これら二項対立に陥った議論の多くは、そもそも近代社会が抱えている自由と平等のアンビバレンスという、より根源的な価値の両抱え状態についての思考を欠落させたままだった。すでに拙著『教育の世紀』において指摘したように、何らかの共通性を欠いたまま、一人一人の個性を基準に「平等」を語ることには多くのアポリア（解決しがたい難問）が含まれる。そもそも比較の基準を欠いた平等論は、価値の多元性が実現した社会をユートピア的に想定しない限り、あまりにロマンティックな主張にしかならない。ところが、個人の内面や内発的な意欲を重視する教育論は、それまでの教育の画一性を嫌うあまり、その画一性と不即不離の関係にあった、共通の基盤や共通化への志向をも一緒に取り除こうとした。とくに義務教育のように、市民社会の成立にとって必要となる共通基盤の形成に寄与する教育（general education）段階で、それも早期から「個性化」を目指す「新しい学力観」を志向する教育が進んだ時代を思い起こせばわかる。そこでは、子どもたち自身の興味関心や意欲を奨励するあまり、「自由」を保障するはずの最低基準となりうる「個人としての力能」――アマルティア・センにならって潜在能力（capability）と関係する能力と見てもよい――の形成が十分できているかどうかからも目をそらすことになりがちだったのである。これらの議論に通底するのは、子ども期の教育の過程における「自由」の保障が、必ずしも子どもたちが成人した後の「自由」と結びつくわけではない可能性を無視した、教育のロマンティシズムであった。とりわけ、詰め込み教育や画一教育への反動から、個性尊重の教育へと揺れ動いた日本の教育改革においては、その傾向が強く出たと言えるだろう。しかも、自立した個人の育成という重すぎる教育への期待は、結局は教育の無力さを露呈するだけに終わり、その度にさらなる教育の改革を求める声が上がるといった、改革が改革を呼ぶ構造をつくり出してきたのである。

戦後一貫して、西欧をモデルに自立した個人の形成を求めてきた日本の知識人は、その責務を教育に託すことを、あたかも当然のことのように見なしてきた。そのために、未来を指向する教育にその重責を託することで、社会全体で負うべき問題を棚上げしてしまったといってもよいだろう。

しかし、この問題が、実際の教育にとって難問となるのは、そのような期待を寄せられた上でもなお、現実の教育は「機会の平等」をいかに実現するかという課題と直面せざるを得ないからである。戦後の日本は、それを「面の平等」という形で実現しようとした。そのことによって、限界はあったものの、「個人としての力能」形成の最低基準の底上げと、それ以前には存在した著しい格差の是正に一定程度成功した。その意味ではアポリアを回避する具体策の一つではあった。にもかかわらず、「面の平等」は、個人の差異を際立たせない論理を含んでいたために、それ自体「個人」を抑圧し、「個性」の発現を妨げる「諸悪の根源」と見なされ続けてきた。

大衆教育社会の功と罪

だが、それにしても、はたして、面の平等化を進めてきた日本の教育は、自立した個人の最低限の能力形成に失敗し続けてきたのだろうか。あるいは、そこに個性や創造性といった付加価値を重ねてみた場合、それは学校教育――とくに義務教育――だけでなされうることなのか。さらに言えば、それに成功している教育の仕組みを備えた国はいったいどこにあるというのか。

こうした冷静な議論や検証を経ることなく、それほどの失敗ではなかったかもしれないのに、それを失敗だと見なす。そうした錯視を生み出してしまったのが、この〈システム〉の表現型のわかりやすさだったのではないか。

すでに第五章でも述べたように、パーヘッドの世界では、教育条件の標準化と学習の個人化とは両立する。共通の尺度を用いて個人間の差異が明らかになったとしても、その差異を前提に、異なる処遇を行なうことで教育の平等を実現しようとするのが、そこでの対応となるからである。それに対し日本では、教育の標準化が、画一化という表現型をとりやすかった。しかも、画一教育としてイメージされた教育への批判がわかりやすいだけに、教育バウチャーの提唱のように、教育の画一性を否定することと一緒に、面の平等を支えてきた教育条件の標準化をも解除しようとした。あるいは学習指導要領のように、ある部分、必要なはずの標準化さえ画一化と同一視され、批判された。そして、表現型として見えやすい対象を批判するあまり、それを基底で支えてきたロジックの存在に気づかず、その基底もろとも捨て去ろうとする批判がまかり通ってきたのである。詰め込み教育としてイメージされた一斉授業への批判が、教師が教えることさえも否定する教授法として誤解されたことも、これと同型の錯視のメカニズムによる（苅谷二〇〇二）。義務教育費国庫負担金の改廃をめぐる議論も同型である。

「個の抑圧」というネガティブな部分の見えやすさゆえに、日本社会論や日本人論でお定まりの批判的言説が、教育に振り向けられる。そうしてこの〈システム〉を変えようとする議論がたびたび登場することになるのだが、その批判が、因果関係の究明において、どれだけ正しい認識に立っているかはほとんど問われない。そこでターゲットとなる個性にしても、創造性にしても、個の自立にしても、分権化された教育にしても、同様である。

ネガティブな部分の見えやすさに比べ、この〈システム〉が何を達成してきたのかは見えにくい。面の平等化を進めた原動力となる基底の形成は、人口変動や経済成長に助けられた「静かな革命」の結果だったからである。しかも、それが大衆教育社会を生み出す礎であったというのが、本書の主張である。

もちろん、大衆教育社会自体にもポジティブな面とネガティブな面がある。つまりは、アンビバレントだということだ。しかし、少なくとも、比較的安上がりに（つまりは効率よく）、一定程度の社会の平等化を達成したこと、高度に教育された人口を構成したこと、それらを基礎に、経済的な豊かさの基盤をつくり出したこと、ファナティックな政治状況や不安定な社会状況を生み出さなかったことなど、ポジティブな面があったことは認めてよいと思う。

明確な分断線を持たない、大衆的な規模での教育の広がりの恩恵を私たちはあたりまえのように享受している。それがあたりまえではないことは、ほかの社会を見ればわかる。あるいは、近未来の日本社会がそのことを教えてくれるのかもしれない。そのときになっても、私たちは、戦後日本の教育が、個性や創造性、個人の形成に、失敗してきたと見るのだろうか。あるいは、そこに幾許《いくばく》かの失敗を認めたとしても、その代償として得てきたものが失われたときに、その変化をどう見るのだろうか。二項対立図式に陥らずに、冷静な議論が必要となるのは、こうしたアンビバレンスに気づくためである。

すでに述べたように、共通化と差異化のアンビバレンスを含み込んだ教育機会の平等化のプロジェクトは、学校という場を通じ自ら不平等をつくり出し、それを可視化しつつ、その縮小の試みをも自らが担うという難題を抱えている。それが限界をもった企てであることは、ある意味すでに歴史が証明してきたと言っても過言ではない。平等化の担い手としての教育と、不平等の再生産装置としての教育が並び立つ、さらにいえば一定の周期で振幅を繰り返しつつこれらの見方が交錯してきたのも、このアンビバレンスゆえのことである。その根底に、自由と平等をめぐるより根深いアンビバレンスが控えている。それゆえ、教育機会の平等をめぐるアンビバレンスも容易に解けるものではない。そうだとすれば、そのことをふまえた上で、教育をどう語るか、どうするかである。

面の平等化は、その、戦後日本的な解法であった。それはまた、大衆教育社会を生み出す過程でもあった。こうして「歴史」を取り戻すことで、私たちは、神話作用から逃れ、平等とは何であるのかを、教育への期待のどこからが過剰になるのかを知ることができるはずである。錯視に陥らずに、教育と社会を批判的に論じることができるはずである。性急な議論が行なわれているときだからこそ、「歴史」をかいくぐることが求められるのである。

註

1、この批判と同じ系にあるのが、詰め込み教育「対」ゆとり教育の二項対立である。

2、この問題の根底には、近代社会が生んだ、自由と平等のアンビバレンスがある。一定程度の平等が実現されなければ、多数の人びとは自由を享受できない。他方で、平等の強調が個人の自由を損なうといった批判もある。こうした自由と平等のアンビバレンスについては、拙著『教育の世紀』を参照してほしい。

あとがき

この本の誕生には、二つの出発点があった。ひとつは、十四年前に出版した『大衆教育社会のゆくえ』である。著者としてはできるだけわかりやすく書いたつもりだが、新書というよりハードカバーの研究書として出してもおかしくない、けっして読みやすいとはいえない本だった。それでも幸いにこの新書は、今日まで長く読まれ続けた。いつかその「続編」を書いてみたい、教育を窓口に、もう一度戦後日本社会の比較社会学的な研究をやってみたい、とずっと思ってきた。

もう一つの出発点は、今から七年前にさかのぼる。教育改革の動向に関するさまざまな調査研究をやっている過程で、教育財政の重要性に気づいた。そしていつか、教育財政の知識社会学的研究をやってみたいと思うようになった。その理由は、本書のプロローグにも書いたように、お金の配分を決めている仕組みに埋め込まれたルールや、それを支えるロジックの中に、教育や社会の基底にあって、私たちが通常疑うことのない、ある意味ではもっとも自明にされた「知識」があるに違いない、という着想を得たからである。それをとりだして、分析の俎上にのせること——まさに、教育財政の知識社会学的研究をやってみたいと思うようになったのである。その後、小泉内閣時代のいわゆる「三位一体の改革」論議の中で、義務教育費国庫負担金が財源移譲の対象となった。そのとき、さらに教育財政の仕組みを学ぶ機会を得た。今から五年ほど前のことである。

その時点では、「現代の問題」として教育財政の研究をやろうと思っていたのだが、その仕組みを調べるうちに、一九五〇年代の制度発足時の議論の重要性に気づいた。さらにそれを掘り下げていくと、戦前期の日本とアメリカの教育財政論議がそのままたルーツにあることがわかった。アメリカ教育史の専門家でも教育財政学の専門家でもない私の研究が、どれだけ専門性に耐えられるのかわからないが、比較と歴史の方法を駆使して、問題を明らかにする手法がとれると思った。専門家ではない勇み足が随所にあるかもしれない。資料の不足や資料の読み取りに問題点があれば、ご指摘いただきたい。

これら二つの出発点が重なり、前著と同じく、比較社会学的なイマジネーションを駆使して、戦後の日本社会の解明を行なう知識社会学の研究につながった。他の仕事に追われ、なかなか執筆は進まなかったが、ことあるたびに資料の発掘とノートづくりを細々と続けた。そして、時間がかかった分、できるだけ歴史にこだわり、現代の問題に言及するのは極力控えようという気持ちになった。性急な議論が横行する中で、現代を論じるためにも、静かに歴史をかいくぐることの大切さに気づいたからである。

こうした経緯を持つだけに、本書は私にとって思い入れの強い本である。ひとつには、いわゆる「言説研究」とは異なる類いの知識社会学的研究のあり方を示したいと思ったところにある。古い雑誌や文献から言葉を拾い集め、それらの関連性をもとに、ある時代の社会意識、メンタリティ、「時代精神」を取り出す。そういう研究スタイルの流行が、教育の社会学的研究でも続いた。だが、取り出された言葉をもとに、パッチワークのように再構成されたある時代の社会意識なりメンタリティが、どこまでその社会に根深く埋め込まれた基底的な知識にまで到達できているか。私自身のこれまでの研究を含めて、隔靴搔痒《かっかそうよう》の感を持ってきたのである。文献に残された「言葉」だけに頼らずに、「言説と実態の二分法」にとらわれずに、ある社会のある時代の基底にある「知識」を取り出すことはできないのか。財政の仕組みとその実際の動き（お金の配分のあり方）への着眼には、そのような方法論的な企図があった。語られない部分を含めて、ある社会のある時代の「知識」に迫りたい。それがどれだけ成功しているかは読者の判断に任せるしかない。ただ、資源配分に埋め込まれた基底的な「知識」が、私たちの社会や教育のあり方に影響を及ぼしていることを幾許かでも示せているとしたら、このような研究スタイルにも多少の意味があると言えるのかもしれない。

もう一つの思い入れは、前著との関係にある。私事にわたることだが、前著は、私が東京大学教育学部に赴任した直後に準備を始めた研究であり、事実上そこでの最初の仕事となった著作である。一九九一年から出版までの数年間のことだ。当時の教育学部には、戦後教育学を代表するきら星のごとき〈進歩派〉教育学の先達がいらした。そういう先生がたに囲まれつつ、もっとも若輩の専任講師である私が、戦後教育学や教育運動を批判的に研究することにつながる『大衆教育社会のゆくえ』を出版することになったのである。どんな反論が来るのだろうかと、内心びくびくしていたことを思い出す――幸いというか残念というか、大きな反応もなかったのだが。

あれから十四年が経ち、間もなく私はこの大学を退職する。学部や大学院生時代を含めれば、四半世紀に及び所属した組織を離れることになる。教育社会学と出会い、そのおもしろさに惹かれ、そこで出会った先生や先輩、友人、就職後は同僚や学生・院生たちとの関係が、さまざまな刺戟《しげき》を与えてくれた。いろいろなかたちでサポートしてくださった研究室事務の方々を含め、この研究室が教育社会学研究者としての私を育ててくれたことは間違いない。これらの方々への感謝の気持ちを込めて、私は本書を東大教育学部への「卒業論文」のつもりで執筆した。教育学部を離れるからといって、教育への関心を捨てるわけではないが、私としては研究上の一つの区切りとして書いた本でもある。

最後に、編集担当の吉田大作さんには、「お待たせしました」、「ご苦労様」の言につきる。本当に辛抱強く待っていただきました。最後まで丁寧な仕事をしてくださいました。途中、私自身のキャリア上の変更が生じ、はらはらさせることもあったと思うが、こうして「あとがき」を書くところまでこられたのも、吉田さんのおかげである。記して感謝したい。いずれもう一冊、「大衆教育社会」論を書いて三部作にしたいと企図しているが、何年かかるか。再び耐えてもらうことになるが、また一緒に仕事をできたらと思う。

二〇〇九年六月

苅谷剛彦

柳治男，2005，『〈学級〉の歴史学』講談社選書メチエ．

ラッシュ，クリストファー（森下伸也訳），1997，『エリートの反逆――現代民主主義の病』新曜社．

バルト，ロラン（篠沢秀夫訳），1967，『神話作用』現代思潮社．

Burke, Arvid J., 1951, *Financing public schools in the United States*, New York: Harper.

Callahan, Raymond E., 1962, *Education and the cult of efficiency: a study of the social forces that have shaped the administration of the public schools*, Chicago: University of Chicago Press.

Cubberley, Ellwood P., 1905, *School funds and their apportionment*, New York: Teachers College, Columbia University.

Evetts, Julia, 1970, "Equality of educational opportunity: the recent history of a concept", *British Journal of Sociology*, Vol. 21, No. 4, pp. 425-430.

Grubb, N. and Michelson, S., 1974, *States and Schools*, Lexington Books.

Johns, R. L. Alexander, K. and Jordan, K. F., 1972, *Financing Education*, Charles E. Merill Publishing Company.

Kariya, T. and Rosenbaum, J. E. 1987, "Self-selection in Japanese Junior High Schools", *Sociology of Education*, Vol. 60, No. 3, pp. 168-180.

Newson, N. William and Pollack, Richard S., "Computing Teacher Load: Analysis and Comparison of Various Methods", *The School Review*, Vol. 47, No. 8, 1939, pp. 586-596.

Strayer, George D. and Haig, Robert M., 1924, *The financing of education in the state of New York: a report reviewed and presented by the Educational Finance Inquiry Commission*, New York: Macmillan.

Taylor, Frederick, 1911, *The principles of scientific management*, New York: Harper.

Theisen, W. W., 1938, "Financial Reporting," *Review of Educational Research*, Vol. 8, No. 2. Finance and Business Administration. (Mar., 1938), pp. 154-162.

評論』1980年2月号，31－35頁.
永岡順，1954,「地方教育委員会の教員人事行政上の問題」『文部時報』文部省，12月号（通号928），20－25頁.
日本教職員組合，1950,『ありのままの日本教育――1950年教育白書』.
_______，1959,『新教育課程の批判　新学習指導要領はどう変ったか』.
_______，1964,『学テ白書運動のまとめ』日本教職員組合発行（香川・愛媛「文部省学力調査問題」学術調査報告書，香川・愛媛「文部省学力調査問題」学術調査）.
二本木実，1965,「広域人事の促進にあたって（五ヵ年計画）――新教育施策めぐり（北海道の巻）」『教育委員会月報』17－1，4月号，20－27頁.
原武史，2007,『滝山コミューン一九七四』講談社.
平田良介，1962,「差別の教育をつく」『教育』1962年5月号，No. 142.
平原春好，1960,「教員の人事異動」『教育』国土社，1960年6月号72－74頁.
馬場四郎，1956,「教育環境としてのへき地――山村」『講座　教育社会学Ⅸ　へき地の教育』東洋館出版社.
三輪定宣，2007,「「三位一体改革」と義務教育費国庫負担法」日本財政法学会編『教育と財政』敬文堂，55－78頁.
文部省，1953,『昭和28年　わが国教育の現状――教育の機会均等を主として』.
_______，1956,『へき地教育の実態：昭和30年度へき地教育の調査報告書』.
_______，1957,『昭和31（1956）年全国学力調査報告書』.
_______，1958年，『初等教育資料　改訂小学校学習指導要領とその解説』No.102.
_______，1959,『わが国の教育水準』.
_______，1962,『日本の成長と教育』.
_______，1963,『全国中学校学力調査報告書　昭和36年度』.
_______，1967,「義務教育費国庫負担法および公立養護学校整備特別措置法に基づく教材費の国庫負担金の取り扱いについて」（1967〔昭和42〕年8月31日　文初財第371号　各都道府県教育委員会あて　初等中等局長通達）.
文部省教育施設研究会編著（田中徳治），1950,『文化国家の建設は六・三制学校施設の整備から』教育弘報社.

———，2006，「少子高齢化時代における教育格差の将来像」白波瀬佐和子編著『変化する社会の不平等——少子高齢化にひそむ格差』東京大学出版会.
———，2009（近刊），「「学力調査の時代」の変遷」東京大学学校教育高度化センター編『基礎学力を問う——21世紀日本の教育の展望』東京大学出版会.
苅谷剛彦・志水宏吉編，2004，『学力の社会学』岩波書店.
教育制度検討委員会，1974，『日本の教育改革を求めて』勁草書房.
斉藤泰雄，2004，「へき地教育振興のための政策と取り組み——日本の経験」広島大学教育開発国際協力研究センター『国際教育協力論集』第7巻第2号，25—37頁.
佐藤全・若井彌一，1992，『教員の人事行政』ぎょうせい.
佐藤学，1990，『米国カリキュラム改造史研究』東京大学出版会.
佐藤三樹太郎，1965＝2002，『学級規模と教職員定数——その研究と法令の解説』第一法規（再録：2002年『教育基本法制コンメンタール35　学級規模と教職員定数』日本図書センター）.
———，1954「義務教育と国庫負担金（二）」『教育行政』1954年6月号，15号.
———，1987「義務教育標準法と高校標準法」，木田宏（監修）『証言 戦後の文教政策』，第一法規，318－341頁.
鈴木健一，1964，「広域人事について——新教育施策めぐり（静岡県の巻）」『教育委員会月報』16－4，1964年7月号，22－27頁，文部省初等中等局.
全国教育財政協議会編，1952，『教育財政の研究』，一二三書房.
田原宏人，1993，『授業料の解像力』東京大学出版会.
寺脇研・苅谷剛彦，1999＝2001，「徹底討論　子どもの学力は低下しているか」『論座』1999年10月号（再録：2001，「中央公論」編集部＋中井浩一編『論争・学力崩壊』中公新書ラクレ）.
殿岡貴子，2004，「教育社会学における「地域」概念の再検討」『東京大学大学院教育学研究科紀要』東京大学大学院教育学研究科編，44巻，141－148頁.
『内外教育版』，1961，「実施、反対の問題点をつく」昭和36年10月20日1289号.
———，1962，「へき地に優秀教員を確保」，昭和37年6月22日，1357号.
内藤誉三郎，1950，『教育財政』，誠文堂新光社.
中野勝利，1980，「広域人事の実態とのたたかい（長崎）」『教育

引用・参考文献

相澤真一，2005，「戦後教育運動の自主的編成に関する一考察」『東京大学大学院教育学研究科紀要』第45巻，67－75頁.

阿部重孝，1933＝1971，『教育科学』岩波書店（再録：1971，『教育改革論』明治図書）.

安倍晋三，2006，『美しい国へ』文春新書.

天城勲，1963，『全国中学校学力調査報告書昭和36年度』「序文」，文部省.

_______，2002，『COE オーラル・政策研究プロジェクト　天城勲　オーラルヒストリー』（上巻），政策研究大学院大学.

石川辰彦，1981，「大正・昭和期の教員生活史――石川一の事例を通して」石戸谷哲夫・門脇厚司編『日本教員社会史研究』亜紀書房.

伊藤一郎，1964，「へき地教育人事について――新教育施策めぐり（岐阜県の巻）」『教育委員会月報』16－6，1964年9月号，28－32頁.

伊藤和衛，1965，『教育の機会均等』世界書院.

市川昭午・林健久，1972，『教育財政』東京大学出版会.

井深雄二，2004，『近代日本教育費政策史』勁草書房.

小川正人，1991，『戦後日本教育財政制度の研究』九州大学出版会.

折笠与四郎，1965，「へき地人事の刷新について――計画的，公平人事交流の実際――新教育施策めぐり（福島県の巻）」『教育委員会月報』16－10，1965年2月号，28－35頁.

加藤精三，1932，『小学校教育の財政的基礎』南光社.

金子勝，1999，『反グローバリズム』岩波書店.

カミングス，ウィリアム・K.（友田泰正訳），1981，『ニッポンの学校：観察してわかったその優秀性』サイマル出版会.

苅谷剛彦，1995，『大衆教育社会のゆくえ』中公新書.

_______，2001，『階層化日本と教育危機』有信堂高文社.

_______，2002，『教育改革の幻想』ちくま新書.

_______，2003，『なぜ教育論争は不毛なのか』中公新書ラクレ.

_______，2004，『教育の世紀』弘文堂.

_______，2006，「「機会均等」教育の変貌」『アステイオン』65，12－43頁，阪急コミュニケーションズ.

苅谷剛彦（かりや・たけひこ）

1955年（昭和30年），東京に生まれる．
東京大学大学院教育学研究科修士課程修了，ノースウェスタン大学大学院博士課程修了，Ph. D.（社会学）．放送教育開発センター助教授，東京大学大学院教育学研究科助教授，同大学院教授を経て，現在，オックスフォード大学教授（2009年9月まで東京大学大学院教授を兼務）．

著書『学校・職業・選抜の社会学』（東京大学出版会）
『アメリカの大学・ニッポンの大学』（玉川大学出版部）
『知的複眼思考法』（講談社＋α文庫）
『学校って何だろう』（ちくま文庫）
『階層化日本と教育危機』（有信堂高文社）
『教育改革の幻想』（ちくま新書）
『なぜ教育論争は不毛なのか』（中公新書ラクレ）
『教育の世紀』（弘文堂）
『学力の社会学』（共編，岩波書店）
『学力と階層』（朝日新聞出版）
『教育再生の迷走』（筑摩書房）

教育《きょういく》と平等《びょうどう》
中公新書 2006

2009年6月25日発行

著　者　苅谷剛彦
発行者　浅海　保

本文印刷　三晃印刷
カバー印刷　大熊整美堂
製　　本　小泉製本

発行所　中央公論新社
〒104-8320
東京都中央区京橋 2-8-7
電話　販売 03-3563-1431
　　　編集 03-3563-3668
URL http://www.chuko.co.jp/

定価はカバーに表示してあります．
落丁本・乱丁本はお手数ですが小社販売部宛にお送りください．送料小社負担にてお取り替えいたします．

©2009 Takehiko KARIYA
Published by CHUOKORON-SHINSHA, INC.
Printed in Japan　ISBN978-4-12-102006-2 C1237

中公新書刊行のことば

一九六二年一一月

いまからちょうど五世紀まえ、グーテンベルクが近代印刷術を発明したとき、書物の大量生産は潜在的可能性を獲得し、いまからちょうど一世紀まえ、世界のおもな文明国で義務教育制度が採用されたとき、書物の大量需要の潜在性が形成された。この二つの潜在性がはげしく現実化したのが現代である。

いまや、書物によって視野を拡大し、変りゆく世界に豊かに対応しようとする強い要求を私たちは抑えることができない。この要求にこたえる義務を、今日の書物は背負っている。だが、その義務は、たんに専門的知識の通俗化をはかることによって果たされるものでもなく、通俗的好奇心にうったえて、いたずらに発行部数の巨大さを誇ることによって果たされるものでもない。現代を真摯に生きようとする読者に、真に知るに価いする知識だけを選びだして提供すること、これが中公新書の最大の目標である。

私たちは、知識として錯覚しているものによってしばしば動かされ、裏切られる。私たちは、作為によってあたえられた知識のうえに生きることがあまりに多く、ゆるぎない事実を通して思索することがあまりにすくない。中公新書が、その一貫した特色として自らに課すものは、この事実のみの持つ無条件の説得力を発揮させることである。現代にあらたな意味を投げかけるべく待機している過去の歴史的事実もまた、中公新書によって数多く発掘されるであろう。

中公新書は、現代を自らの眼で見つめようとする、逞しい知的な読者の活力となることを欲している。

教育・家庭

社会・生活

中公新書

知的戦略・実用

n1

中公新書

心理・精神医学

c1

- 68 病的性格 懸田克躬
- 481 無意識の構造 河合隼雄
- 557 対象喪失 小此木啓吾
- 240 精神科医三代 斎藤茂太
- 1749 精神科医になる 熊木徹夫
- 463 青年期 笠原嘉
- 515 少年期の心 山中康裕
- 29 心療内科 池見酉次郎
- 346 続・心療内科 池見酉次郎
- 1873 メンタルヘルス 藤本修
- 1659 心の起源 木下清一郎
- 1324 サブリミナル・マインド 下條信輔
- 1859 事故と心理 吉田信彌
- 1847 証言の心理学 高木光太郎
- 666 犯罪心理学入門 福島章
- 1796 犯罪精神医学入門 福島章
- 788 非行心理学入門 福島章
- 1389 精神鑑定の事件史 中谷陽二
- 565 死刑囚の記録 加賀乙彦
- 1426 群発自殺 高橋祥友
- 1169 色彩心理学入門 大山正
- 318 知的好奇心 波多野誼余夫 稲垣佳世子
- 599 無気力の心理学 波多野誼余夫 稲垣佳世子
- 907 人はいかに学ぶか 稲垣佳世子 波多野誼余夫
- 1345 考えることの科学 市川伸一
- 757 問題解決の心理学 安西祐一郎